KB103370

# 왕할머니와
## 아이 손님

왕할머니와 아이 손님

발   행 | 2024년 2월 28일
저   자 | 정현정
펴낸이 | 한건희
펴낸곳 | 주식회사 부크크
출판사등록 | 2014.07.15.(제2014-16호)
주   소 | 서울특별시 금천구 가산디지털1로 119 SK트원타워 A동 305호
전   화 | 1670-8316
이메일 | info@bookk.co.kr

ISBN | 979-11-410-7411-1

고모할머니의 육아 에세이

# 왕할머니와 아이 손님

# CONTENT

# 프롤로그

이 이야기는 엄마가 아파서 고모할머니 집에 오게 된 6살 (만 4살) 겨움이와 아이가 되어버린 증조할머니의 이야기입니다. 유아교육 현장에서 오랫동안 일했으나 지금은 엄마를 돌보고 있는 고모할머니의 희망을 전하는 육아 에세이입니다.

겨움이는 언제 사랑하는 엄마 아빠와 함께 살게 될까요? 엄마의 병이 모두 나아서 집으로 돌아가기를 기다리는 아이의 희망은 이루어질까요? 동화를 좋아하는 아이가 만든 이야기 속에는 사랑과 희망이 가득합니다. 아이가 하는 말을 기록하면 동화가 되고 동시가 됩니다.

# 1화 아이 손님

아기라고 부르니
언니라고 하는 아이
할머니만 사는 집에
아이 손님이 찾아왔다.

아빠랑 헤어지며
엉엉 울던 아이는
언제 그랬냐는 듯
혼자서도 잘 지내는
의젓한 언니가 된다.

"조잘조잘 재잘재잘"

아이는 하루 종일
놀아달라 재촉한다.
"이거 해줘 저거 해봐"
"내가 할 거야 아니라니까"
자신이 없는 것은 해달라지만
자신이 하고 싶은 것은
절대 해달라지 않는다.


"조잘조잘 재잘재잘"
아이는 혼자서도
동화책 한 권에 선생님이 된다.
"옛날에 ~ 잘 들었죠.
안녕! 다음에 또 만나요."


무한한 상상력으로
어둠 속에서 괴물을 만나고.
왕자님도 만나며
상상의 나라로 여행을 떠난다.

# 2화 할머니가 되었다

조카에게 전화가 왔다. 딸아이를 봐줄 수 있냐는 거였다. 가정에 무슨 일이 생긴 것이 분명했다. 임신 중이던 아이 엄마가 아파서 병원에 입원 중이라고 한다. 벌써 두 주나 지났다는 것이다.

그동안 딸아이는 완도 누나 집에 맡겨졌었다. 누나 부부가 출근한 후 방학 중이던 초등학생 둘째가 아이와 놀아줄 수 있었다. 그런데 이제 개학을 앞두고 있어서 아이 맡길 곳을 찾다가 할머니를 모시고 있는 고모인 내가 생각이 난 것이다.

"아아앙 아빠~"

아이는 문 앞에서 아빠의 바짓가랑이를 작은 손으로 붙잡고 있었다. 올해 6살(만 4세)이 된 겨움이는 귀여운 여자아이로 자라 있었다.

"겨움이 왔네. 고모할머니 알지?"

아이에게 반갑게 인사를 먼저 건넸다. 여전히 아이는 아빠의 바짓가랑이를 잡고 수줍어서 쭈뼛거렸다.

"할머니에게 인사해야지"

"부끄러워"

아빠의 말에 몸을 배배 비틀며 아이는 조그만 목소리로 대답했다.


명절이면 시골에서 잠깐 동안 아이와 만난 것이 전부다. 긴 시간을 함께 있어 본 적도 없었다. 원래 수줍음이 많은 아이였던 걸로 기억을 하는데 오랜만에 고모할머니를 보자 더 부끄러워 했다. 아빠와 헤어져 낯선 고모할머니와 함께 지내고 싶지 않았을 것이다. 태어나서 부모와 떨어진 것도 완도 고모 집에서 지낸 2주가 전부일 것이다. 2주 동안 엄마 아빠와 떨어져 지내기 힘들었을텐데, 또 떨어져 있어야 하다니 무서울 만도

하다.

아빠가 자기만 두고 가려고 하자 아이는 바로
울음을 터트렸다.

"아빠아~ 아앙"

집에 들어올 때부터 아빠 품에 안겨 있던 아이
는 아빠 품에서 떨어지지 않으려고 했다.

"아빠가 두 밤 자고 올게. 그때 아빠랑 신나게
놀자"

두 밤 자고 온다는 아빠의 말에 아이는 안심이
되었는지 다시 확인 하고서야 아빠 품에서 벗어
났다.

엄마가 입원해 있는 동안 증조할머니와 고모할
머니 집에 있어야 한다는 것을 아이는 알고 있
다. 아빠는 엄마를 돌봐주어야 한다는 것도 알고
있다. 아이는 아빠에게 한번 더 다짐을 받아냈다.

"아빠 꼭 와야 돼 알았지?"

"그래 그럼 할머니 말씀 잘 듣고 있어"

"으응~ 아빠 안녕"

아이는 아빠와 헤어지고 싶지 않았지만 두 밤
자고 온다는 말에 고모할머니 집에 있을 용기가

생겼는지 아빠와 헤어졌다. 아이가 울면 어떡하
나 걱정이 됐다. 그런데 아빠와 헤어지고 난 아
이는 언제 울었냐는 듯 집안 여기저기를 훑어보
더니 놀고 싶은 장난감을 보물찾기 하듯 찾아다
녔다. 장식해 놓은 소품들이 하나하나 아이의 장
난감으로 변했다. 엄마 물건으로 가득 찼던 방이
갑자기 아이 놀이 방으로 순식간에 변했다.

"고모할머니"

나는 갑자기 할머니가 되었다.

# 3화 동화를 좋아하는 아이

"고모할머니~"

아이는 엄마 아빠와 헤어져 마음이 불안한지 내 옆에 껌딱지처럼 붙어 떨어지지 않는다. 내가 가는 곳은 어디든지 따라다니다 심심하면 책을 읽어 달라고 했다.

"고모할머니 책 읽어줘"

"그래 책 가지고 와봐"

아이는 할머니의 말이 떨어지자마자 아빠가 들고 온 물건 중 책이 들어있는 가방을 찾아냈다. 그리고 혼자서 중얼거렸다.

"무슨 책을 읽을까? 그래 이 책, 이 책, 이 책,

이 책, 이 책도"

보고 싶은 책이 많았는지 혼자서 들을 수 없을 정도의 책을 골랐다.

"으잉 무거워 고모할머니 들어줘"

무거워서 들지 못하자 들어달라고 한다.

"3권만 가지고 오세요"

"이잉 다 읽고 싶은데'

다 읽고 싶다는 아이에게 나는 단호하게 말했다.

"3권만 읽어 줄게요"

단호한 나의 말에 아이는 어쩔 수 없이 동화책 중에서 3권을 골라냈다.

최대한 재미를 살려서 동화책을 읽어주었다. 부모와 떨어져 불안했던 아이의 마음이 동화책을 듣다 보니 안정이 되어 가는 것 같았다.

"더 읽어줘 할머니"

동화책 3권을 다 읽어주자마자 아이는 더 많은 이야기가 듣고 싶다고 졸라댄다.

"그럼 딱 한 권 만이야"

나의 말에 "응" 대답을 했지만 아이는 두 권의 동화책을 더 읽어 주고서야 이야기 듣기를 마쳤다. 그리고 공손하게 부탁했다.

"고모할머니 내일 또 동화책 읽어 주세요"

약속을 받아내고서야 혼자서 장난감을 가지고 한참을 놀았다. 그러나 혼자 놀기가 심심했는지 다시 동화책을 읽어달라고 한다.

잠자기 전 매일 세 권씩 아이에게 동화책을 읽어주기로 약속했다. 동화를 들려줄 때는 미리 녹음을 준비하고 아이의 목소리도 함께 넣었다. 낮이 되면 아이는 어제 녹음한 동화를 다시 듣기 좋아했고, 매일 잠잘 때 들려주는 동화시간을 기다렸다.

동화를 들려주고 나면 이제 잠자리에 들 시간이다.

"할머니 같이 잘 거야?"

"깜깜해 무서워 잠이 안 와"

잠이 들기 전까지 아이에겐 깜깜한 방안의 모든 물건들이 괴물처럼 보였다. 동화 속에서 만난 까만 괴물들이 집안에서 움직이고 있었다. 텔레비전도 왕할머니가 주무시는 침대도 움직였다. 베란다에서는 바람에 흔들리는 빨래들이 소시지 괴물이 되어서 아이에게 다가왔다.

"빨래가 움직여 커지는 나무 같잖아요. 소시지 괴물 같아 무서워. 커튼 쳐 줘요 할머니"

커튼으로 창문을 가려주었다.

"내가 소시지 괴물을 무찔렀어 야호"

"할머니 손 잡아줘"

내 손을 꼭 잡고서야 아이는 안심되었는지 잠이 들었다. 잠들 때까지 아이의 작은 손은 꼭 붙잡은 내 손을 놓지 않았다.

# 4화 증조할머니 동화 읽어 드릴께요

"증조할머니는 왜 누워만 있어?"

"왜 얼굴에 줄무늬가 많아?"

"증조할머니는 얼굴이 왜 안 예뻐?"

아이가 보기에 증조할머니는 가까이 가기에는 무서운 모습이었다. 어떻게 하면 아이가 증조할머니와 더 친해질 수 있을까 고민하다 한 가지 묘안을 생각해 냈다.

"겨움아 이제는 네가 왕할머니께 동화책을 읽어 드리면 어떨까?"

침대에 누워 계시는 증조할머니에게 동화책을 읽어 드리라고 말해보았다. 아이는 자신감 있게 말했다.

"내가 내가 동화를 읽어줄게"

"그래 겨움이가 동화책 읽어 드리면 왕할머니가 정말 좋아하실 거야"

"왕할머니가 아니고 증조할머니야"

왕할머니라고 말하자 증조할머니라 아이는 나의 말을 바로 잡았다.

"어떤 동화책을 읽어 드릴까?"

눈을 반짝이며 두리번 거리더니 생각이 났다는 듯 내가 책상에 둔 작은 종이를 찾아왔다.

"음 동화책이 여기 있군"

아이의 상상력 속에서는 작은 종이도 동화책이 된다.


아이의 눈에 비친 증조할머니는 동화 속에서 본 마녀처럼 험상궂은 얼굴이었다. 침대에만 누워계시는 증조할머니에게서 이상한 냄새가 난다며 코를 막기도 했다. 동화책을 찾은 아이는 증조할머니에게 다가갔지만 조금 멀리 떨어져 앉았다.

"증조할머니 이것이 동화책이야"

"아이고 내 새끼 이쁘다"

병들고 정신마저 아득한 노할머니는 그저 증손녀가 자기 옆에 가까이 와준 것만도 이쁘기만 하다.

"딱 하나만 읽어준다."

두 권은 안 된다고 못 박은 듯 아이가 말했다. 동화책을 읽을 때만큼은 증조할머니 냄새가 싫지 않았다. 증조할머니가 무서워 보이지도 않았다. 아이는 증조할머니에게 더 가까이 다가갔다. 그림도 글자도 없는 동화책이지만 하얀 종이에 자신의 상상을 불어넣어 증조할머니에게 자신이 만든 동화를 들려주는 아이 모습이 사랑스럽다.

**"옛날에 옛날에 선녀와 나무꾼이 살았어요. 그런데 엄마가 아팠어요. 선녀와 나무꾼은 먼 여행을 떠나게 되었어요. 선녀와 나무꾼은 행복하게 살았어요. 동화 끝."**

"증조할머니 책 또 읽어줄까요? 이번에는 백설 공주 이야기 들려줄게요"

**"옛날에 옛날에 백설공주가 살았어요. 그런데 백설공주는 여행을 떠나게 되었어요. 그런데 백설공주 엄마가**

아팠어요. 만약 내가 백설공주였다면 어떻게 되었을까요? 행복하게 살았어요. 그럼 내일 인형극장에서 만나요. 안녕"

"할머니 내가 증조할머니 동화책 읽어줬어"
아이가 만든 동화 속의 주인공은 자신처럼 엄마가 아팠고, 여행을 떠나야만 했다. 아이는 지금 자신이 처한 상황을 제대로 인지하고 있었다. 엄마의 건강이 회복된다면 아이의 동화 내용은 더 행복하리라.

"우리 겨울이가 동화 선생님이네"
동화 선생님이라고 칭찬을 해주었다. 어쩌면 내일도 아이는 증조할머니에게 자신이 만든 동화를 들려주고 있지 않을까. 내 마음을 알았는지 아이가 환한 미소로 증조할머니에게 말했다.
"증조할머니 내일 또 동화 읽어 드릴께요."

# 5화 아이가 만든 동화 동시

## 소녀와 나쁜 마술사, 도라에몽

　도서관에 아이를 데리고 갔다. 많은 책 속에서 아이는 어떤 책을 읽을까 행복한 고민에 빠졌다.

　"이것도 읽을래 이것도"

　도서관의 모든 책을 읽고 싶다는 듯 책꽂이에서 동화책을 꺼냈다. 아이가 고른 책 중 몇 권을 읽어 주고 나머지 동화책을 빌려 집으로 돌아왔다. 집에 돌아온 아이가 말했다.

　"할머니 내가 동화 들려줄까?"

　아이가 만든 동화 제목은 '소녀와 나쁜 마술사'이다.

## 소녀와 나쁜 마술사
### 지은이 : 정겨움

소녀가 혼자 살았어요. 소녀는 너무 집이 가난했어요. 처음 본 무서운 마술사가 나타났어요. 웃는 얼굴이 아니었어요. 눈도 삐죽 코도 삐죽 입도 삐죽 머리카락도 삐죽삐죽 새집 같아요.

"얘야 난 무섭지 않다"

마술사가 말했어요

"네가 속았다 하하"

마술사는 소녀를 잡아갔어요. 그리고 무섭게 대했어요.

소녀와 나쁜 마술사는 여행을 떠났어요

"여행을 가자"

"바다가 보인다. 난 해적이다."

나쁜 마술사는 해적으로 변했어요.

"이런 어쩌지 배가 없네"

"소녀야 나뭇가지를 가져와 배를 만들어라"

마술사는 소녀에게 일을 시켰어요. 소녀는 나뭇가지를 가져와 배를 만들었어요.

"소녀야 배가 고프다. 요리를 해라"

소녀는 밀가루로 반죽을 했어요. 동그란 반죽을 만들었어요. 계란을 넣고 섞자 동그란 밀가루 반죽이 커지기 시작했어요. 이만큼 이 만큼, 이~ 만큼, 이~~ 만큼 커졌어요.

소녀는 마술사에게 음식을 갖다 주었어요. 마술사는 음식을 먹다가 토했어요. 그러더니 갑자기 쓰러졌어요. 그리고 나쁜 마술사는 사라졌어요. 왜냐하면 음식을 너무 많이 먹었거든요.

"이를 어쩌지 마술사가 사라졌네"

소녀는 울었어요. 소녀는 다시 혼자 살게 되어서 울었어요.

동화 속에서는 나쁜 마술사도 무섭지 않았다. 그저 혼자 지내게 된 것이 외로울 뿐이다.

도라에몽을 보고 난 후 아이와 산책을 나섰다. 봄바람에 벚꽃이 휘날리고 있었다. 아이는 바람에 날아가는 꽃잎을 잡으며 놀다가 춤을 추며 말했다. 아이의 소망이 담긴 말은 동시가 되었다. 동시의 제목은 '도라에몽'이다.

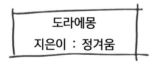

**따뜻한 봄바람 불어오네**

같이 놀아주는 친구
하나 있으면 행복해요

날이 밝아오네
친구가 나의 곁으로
다시 돌아오네 기분이 좋소

널 사랑해
받아줄게


　아이가 만들어낸 동화와 동시 속에서 친구가
필요한 아이의 마음을 엿볼 수 있었다. 집 가까
이에 있는 미술학원에라도 보내야겠다는 마음이
들었다.
　함께 지내는 동안은 외롭지 않기를. 고모할머
니가 동화책 많이 읽어줄게. 너의 상상력을 마음
껏 키울 수 있도록 말이야.

## 6화 식물을 키우는 아이

아이들의 말은 신기하다. 이토록 아름다운 언어가 또 있을까? 작은 입에서 나오는 모든 말은 동화가 되고 시가 된다.

내가 식물들에게 물을 주고 비료를 주는 것을 유심히 보더니 아이도 물을 주겠다고 나섰다. 분무기로 식물들에게 물을 주며 혼자서 중얼중얼거렸다. 아이가 식물들과 대화하는 것을 지켜보다 하는 말을 적어 보았다. 아이들의 언어 세계는 어른들이 상상할 수 없을 정도로 맑고 순수하고 신비롭다.

식물아 잘 자라라 ~
씨앗을 심으면 새싹이 돼
새싹이 자라면 큰 나무가 돼
그러다 우리 집이 부서지면 어쩌지~
씨앗이 너무 커서 악당이 나타나면 어떡하지

아무리 기다려도 새싹이 안 자라
어떻게 심어야 하는 거야?
씨앗을 땅속에 모아두는 거야?
햇볕을 쬐는 거야?
아하 햇볕을 쬐면 씨앗을 잘 자랄지도 몰라

식물은 특히 물을 좋아합니다
특히 물을 많이 좋아합니다
어 젖었네 괜찮아
그래도 많이 자라게 해 줘야겠다
또 내일도 해줄게
나도 특별하게 식물을 키울 거야

식물은 물을 줘야 한다

왜냐하면 식물이 중요하니까
직접 키운 식물은 누가 가져가지 못하게
표지판을 끼워 놓는다
이건 내가 만든 것이야

선인장은 물을 안 좋아합니다
특히 따갑대 만지면 손이 구멍이 난다
베이면 피난다
밴드 붙여야 한다

아이는 어머니가 없을 때 펑펑 운다
아이는 평범하지만 그래도 좋은 경험이 있다
산책할 때는 강아지를 키우고 간다

## 7화 80살 차이

6살 86살! 무려 80살 차이다.

숫자만으로 현저한 차이가 난다. 80년이라는 세월의 차이도 크다. 키도 다르다. 86살의 키는 6살의 3배는 될 것이다. 몸무게도 다르다. 6살은 내가 가볍게 들어 올릴 수 있지만 86살은 혼자서 절대 들어 올릴 수 없다.

86살은 얼굴에 주름이 자글자글 하다. 그래서 인지 가만히 있으면 표정이 너무 어둡다. 그러나 6살은 얼굴에 주름 하나 없이 팽팽하고 티 없이 맑다.

6살은 하루 종일 말을 한다. 가만있지 못한다. 계속 새로운 장난감을 찾아내고 놀아야 한다. 그 놀이에 함께 참여해 주어야만 한다. 그러나 86살은 말이 없다. 혼자서는 움직이지 못한다. 아무것도 하지 않으려 한다. 내가 시켜야만 간신히 손을 움직일 뿐이다.

6살은 무엇이든 배우고 싶어 하지만 86살은 아는 것도 점점 잊혀간다. 6살과 86살 차이 모든 면에서 현저하게 다르다.


"왕할머니 먼저 드시라고 하자."

"내가 왕이야 내가 먼저야"

"왕할머니 잘했어요."

"내가 잘했어 내가"

"왕할머니 여기 앉으세요"

"내가 여기 앉을 거야"

아이는 증조할머니 보다 언제나 자기가 먼저 하고 싶어 한다.

"잠잘 때 들려주는 5분 구연동화 옛날 옛날에~"

"시끄럽다!"

"하하 하하 호호호호 더 놀아줘"

"그만해라"

아이는 놀고 싶지만 증조할머니는 시끄럽다. 그저 잠을 자고 싶다.

아이는 예쁜 것이 좋고 흉한 것은 싫어한다. 얼굴의 자글자글 주름은 싫다. 냄새도 싫다. 그러나 증조할머니의 텔레비전은 사랑한다. 왕할머니라고 부르는 증조할머니 호칭 앞에 붙은 '왕'자를 제일 부러워 한다.

"내가 왕이야"

아이는 자신이 왕이 되고 싶다.

증조할머니는 아이가 재잘거리며 방안에서 하루 종일 뛰어다니자 이웃에게 피해를 줄까 염려한다. 더 놀고 싶고. 책을 더 읽어달라는 아이의 행동은 잠잘 시간도 아니지만 불을 끄고 잠이나 자고 싶은 증조할머니의 심기를 건드린다.

그러나 이렇게 다른 6살과 86살도 똑같은 것이 있다.

밥을 먹을 때 흘리고 먹는 것은 똑같다.

매운 것을 먹지 못하는 것이 똑같다.

반찬을 올려줘야 하는 것도 같다.

둘 다 변비다. 그래서 똥도 같은 날짜에 싼다. 글자를 모르는 것도 똑같다.

86살은 자식들이 아이에게 관심이 집중되는 것을 참지 못하고, 아이가 하루 종일 재잘거리며 뛰어다니는 것을 참지 못한다. 6살은 무엇이든 증조할머니 먼저 해주는 것을 참지 못 한다.

6살과 86살의 차이는 크지만 더 사랑받고 싶은 마음만은 똑같다. 이것이 인간본성이다.

# 8화 증손녀의 고자질에 보인
# 증조할머니 모습

"내가 때리지도 않았는데 저것이 때렸다고 일러야. 내가 언제 그랬냐"

아이가 자신의 엄마와 전화통화 중 한 말에 서러움을 폭발하시는 분은 바로 86세, 우리 엄마, 6살 아이의 증조할머니시다.

침대에 누워 주무시고 계신 줄 알았는데 아이가 자신의 엄마와 통화하는 내용을 다 듣고 있었다.

증조할머니는 만화를 좋아하는 아이를 위해 텔

레비전을 보라는 특별한 애정을 보여주었다. 그런데 잠자리에 들기 전 엄마와 통화를 하던 아이는 증조할머니가 자신을 때렸다고 고자질 했다. 증조할머니의 아이를 향해 부풀었던 애정은 그 말과 함께 바람 빠진 풍선 마냥 쪼그라 들어 버렸다.

6살 아이는 요즘 무슨 일만 있으면 "우리 엄마한테 이를거야"라는 말을 달고 산다.

지난주에 시골에 내려갔을 때도 아빠를 만나자마자 고모할머니가 자신을 혼내고, 증조할머니가 자신을 때렸다며 고자질 했다.

벌써 4달 넘게 엄마 아빠를 떠나 낯선 고모할머니와 증조할머니 둘 사이에 지내고 있으니 그럴 만도 하다. 자신 있게 일러주겠다고 협박을 하는 아이가 당돌하게 느껴지다가도 엄마 아빠는 언제나 자신의 편이라고 생각하는 아이가 대견하다.

증조할머니가 아이에게 화내는 포인트를 보니 바로 내가 아이에게 무언가를 시켰을 때 아이가 말을 안 듣고 짜증을 낼 때이다.

밥을 한 시간 이상 붙들고 있는 아이에게 "밥 어서 먹어라"를 여러 번 하고 있다든지, 옷을 입을 때 자신이 입고 싶은 옷을 입지 못할 경우 오랫동안 짜증을 낸다던지, 양말이 잘 신겨지지 않을때 짜증을 내고 있다던지 하는 경우 내가 잔소리를 아이에게 하면 바로 그 타이밍에 증손녀에게 엄마도 화를 내고 있다.

"불편해"라며 마스크를 쓰지 않으려는 아이에게 외출할 때는 마스크를 반드시 써야 한다고 계속 알려주며 나왔다. 엘리베이터 안에 다른 승객이 있어 마스크를 쓰라고 이야기했다. 아이가 마스크를 쓰지 않겠다고 떼를 쓰자 갑자기 엄마는 아이에게 등짝 스매싱을 날렸다. 아이는 놀랐지만 울지는 않았다. 자신이 잘못한 것을 알았다. 다행히 이 사건 이후로 아이와 마스크로 인해 실랭이는 생기지 않았다.

엄마는 증손녀의 불편함 보다 아이가 자신의 딸을 힘들게 하는 것이 싫은 것이다.

한편으로 짜증을 부리면 자신의 증손녀가 아니라 남의 집 아이라고 생각하시는 것 같기도 하다.

"엄마, 엄마 증손녀야 엄마 큰아들 손녀, 종호
딸이야 몰라?"

"그래야 몰랐다"

아이가 자신에게 잘해주면 엄마도 아이에게 친
절하다. 그러나 아이가 자기만 생각할 때는 엄마
도 자신의 증손녀라는 것을 잊어버린다. 본인이
아이를 때린 기억은 나지 않는다.

"내가 언제 때렸냐"라며 분함과 서러움을 목놓
아 토해내는 엄마의 목소리에서 6살 아이와 싸운
5살도 안 된 아이의 모습을 보았다.

## 9화 칭찬 스티커는 아이를 춤추게 한다.

어떻게 하면 아이가 말을 잘 들을 수 있을까 고민하다 칭찬 스티커를 생각해 냈다.

"할머니 말을 잘 들어야지" 하면 아이는

"할머니가 내 말을 들어줘야지 내가 할머니 말만 들어야 해?"

"할머니 말을 안 들으면 할머니가 마음이 힘들어"라고 하면 아이는

"할머니 마음만 있어 내 마음도 있지. 내 마음을 이해해 줘야지. 서로 이해해 줘야 해" 말로 어른을 당황 시킨다.

아이의 서로 이해란 자신의 말을 들어달란 뜻

이다.

　할머니 말을 잘 들으면 칭찬 스티커로 별표를 붙여준다고 하니, 다행히 별표 받기를 좋아하는 아이는 옷에 별표를 붙이겠다고 한다. 파스를 붙이다 남은 테이프를 이용해 별표를 오려 주었더니 아이는 그것을 옷에 붙이고 자랑스럽게 다녔다. 그러다 테이프가 떨어져 더 이상 스티커 별표를 만들 수 없다는 말에 실망감을 감추지 못했다.

　종이 한 장을 가져와 칭찬 스티커라고 크게 썼다. 자신의 이름이 붙은 칭찬 스티커판을 벽에 붙여 놓으니 아이는 이곳에 어떻게 별표가 붙여질까 관심을 가졌다.
　"할머니 별표를 어떻게 붙일거야?"
　"볼펜으로 별표를 그려 줄게. 별표를 오려 풀로 붙일 수도 있어"

　호기심 많은 아이는 자신이 어떤 일을 잘하면 별표를 받을 수 있는가를 궁금해한다. 그리고 몇 개까지 별표를 받을 수 있는지도 알고 싶어 했다.

"밥을 늦장 부리지 않고 잘 먹으면 별표를 그려 줄게. 말을 잘 들은 만큼 별표를 줄 거야"

내가 했던 말도 잊지 않았다. 설거지가 끝날 때까지 재잘거리다, 몇 숟가락 안 되는 밥을 먹지 않고 잔소리를 하게 만드는 아이에게 좋은 방법이라는 생각이 들었다.

칭찬 스티커판은 당장 효과를 가져왔다. 지금껏 아침밥을 한 시간이 넘도록 먹던 아이였다. 그런데 설거지를 하기도 전에 밥 한 그릇을 뚝딱 해치웠다.

그리고 "왕할머니가 1등이야? 내가 1등이야?" 물어왔다.

"겨움이가 일등이야"라는 말과 함께 칭찬 스티커판에 별표를 그려 주고 숫자 '1'까지 써주었다. 그리고 밥을 잘 먹어서 칭찬받았다는 표시로 밥그릇 그림까지 그려 주었다. 그랬더니 이번에는 양치질을 하겠다고 한다. 양치질을 한 후 별표를 칭찬 스티커판에 그려 주고 칫솔 그림도 그려 넣었다.

"왕할머니 식사 다 하셨어요?"

왕할머니 식사 다 하셨는지 물어봐 달라는 말에 아이는 다른 때 같으면 시키면 하기 싫어할 일도 자연스럽게 하게 되었다. 칭찬 스티커판 덕분에 왕할머니와 더 친해지는 것 같다. 세 번째 별표를 그려 주며 왕할머니 얼굴도 함께 그려 주었다. 그런데 청소라고는 자기 물건도 잘 정리하기 힘들어하는 아이가 갑자기 밀대로 바닥을 닦고 있는 것이 아닌가? 시키지 않은 일도 칭찬 스티커를 받기 위해 스스로 한 것이다.

칭찬 스티커는 정말로 아이를 춤추게 한다.

# 10화 아이는 어른의 거울이다

"할머니 이리 와봐. 여기 앉아봐"

단호한 목소리로 아이가 나를 불렀다.

아이의 말을 듣고 나는 깜짝 놀랐다. 바로 내가 어제 아이에게 한 말이었기 때문이다.

아이의 잘못을 바로 잡아 주기 위해서는 단호하게 아이를 훈육해야겠다는 생각이 들었다. 아이를 물건이 없는 벽 쪽으로 불러 세웠다. 그리고 아이와 눈높이를 맞추기 위해 아이에게 앉으라고 했다.

아침에 내가 증조할머니에게 "엄마 일어나"라

고 이야기하자, 아이는 나에게 "존댓말을 해야지"라며 내 말이 끝나자마자 말했다. 반말을 하는 아이에게 어른에게는 존댓말을 해야 된다고 가르쳤던 것이 도리어 나에게 돌아왔다.

아이의 작은할아버지가 점심시간에 집에 방문했다. 점심을 함께 먹는데 작은할아버지가 아이에게 말을 건네자 "밥 먹을 때는 말을 하면 안 돼요"라고 따끔하게 한마디 한다. 밥 먹을 때마다 계속 이야기를 하며 늦게 밥을 먹는 아이에게 내가 했던 말이다. 아이는 그렇게 양육자에게 들은 이야기를 복사한다.

요즘 아이는 무슨 일이 있으면 주먹을 쥐고 손을 든다. 질문이 있어서 드는 것이 아니다. 아이가 짜증이나 심술을 부릴 때마다 왕할머니가 그렇게 하지 말라며 아이를 부르지만 대답하지 않을 때 하는 행동이다.

아이는 어른들의 행동을 모방하며 자란다. 양육자의 좋은 행동이나 언어는 아이에게 좋은 영향을 발휘하지만 그렇지 못할 때는 아이가 나쁜 태도를 본받게 만든다.

아이는 어른의 거울이다.

## 11화 텔레비전에 빠진 아이

유아에게 몇 시간까지 텔레비전 시청을 허용해야 하는 것일까?

우리 집에 맡겨질 당시만 해도 아직 미디어에 노출되지 않았던 아이다. 아이 아빠는 아이가 책을 좋아한다며 무거운 책을 잔뜩 싸들고 왔고 아이는 책을 읽어달라고 했다. 그런데 언제부터인가 책을 읽어달라는 말은 잠자리 동화시간 이외에는 하지 않는다. 그리고 "심심해" 아니면 "나이제 뭐 해"라는 말로 텔레비전을 보고 싶다는 말을 대신한다. 책을 좋아하던 아이는 이제 미디어라는 신세계를 알아버린 것이다.

지난 3개월 사이 한 시간을 보던 텔레비전이 이젠 두 시간이 넘어섰다. 그만 보자하면 텔레비전 앞에서 바로 일어났던 아이가 "하나만 더"로 계속 연장 시청을 요구한다. 그렇게 한번 허용하면 "하나만 더"로 시간이 쭉 흘러가 버린다.

6살이지만 아직 한글과 숫자를 떼지 못한 아이에게 처음 한글과 숫자를 가르칠 때는 한 장으로 학습지를 끝내는 것이 아니라 여러 장도 거뜬히 즐겁게 해냈었다. 그만큼 집중력을 보였다. 그런데 지금은 한 페이지를 하는데도 집중력이 흐려지고 있다.

요즘 아이들은 태어나면서부터 핸드폰을 터치할 줄 안다. 그래서인지 태블릿피시로 자신이 봐야 할 애니메이션을 찾아내고 클릭 한 번으로 관심 있는 애니를 시청한다.

그뿐만이 아니다. 종이책 학습지는 지루해하면서 영상을 통한 학습에는 관심을 보인다. 무료 학습 어플을 이용해 한글 공부를 하다가 재미있어 하길래 유료 어플을 태블릿에 깔아주었다. 그랬더니 스스로 터치해 가며 게임처럼 영상 속으로 빠져들어 간다. 그리고 하루 분량의 시간이 정해져 있는 것에 아쉬워한다.

아이는 귀로 듣는 동화보다 눈으로 보는 동화를 더 선호한다. 그래서인지 듣는 동화를 틀어놓아도 광고만 보이는 화면을 뚫어져라 쳐다보며 동화를 듣는다.

나의 어린 시절을 돌아보면 만화를 방송하는 시간에만 텔레비전을 볼 수 있었기 때문에 그 시간을 기다려 텔레비전을 시청했다. 그런데 지금은 유선방송의 발달로 만화만 하루 종일 방송을 하는 채널이 있다. 만화를 계속 하는데도 중간의 광고 시간을 기다리지 못한다. 다른 애니메이션으로 채널을 돌려달라고 성화다. 그래서인지 광고 없이 끝없이 재생되는 넷플릭스의 애니 채널을 더 선호한다. 그러다 보면 시청 시간이 더 길어진다.

어제는 갑자기 '공태경 씨'라는 이름을 불러 깜짝 놀랐다. 주말 드라마의 남자 주인공 역 이름이었기 때문이다. 주말에 친할머니 집에서 지내면서 주말 드라마를 함께 시청한 모양이다. 스스로도 자신이 보아서는 안 될 드라마라고 생각됐는지 "아이들이 보면 안 되는데"라며 말끝을 흐렸다.

그런 아이의 소꿉놀이를 보면 놀라움의 연속이다. TV 속에 나오는 캐릭터를 미니어처 만든 인형들로 혼자서도 일인 다역을 하며 놀 줄 안다. 아이가 만들어낸 이야기에 경이로움을 느낀다.

검색이라는 단어를 알게 된 후로 장난감으로 무언가를 '검색해'라고 하며 놀던 아이가 이제 핸드폰으로 자신이 찾는 만화 주인공 인물을 검색해 달라고 한다.

미디어를 통해 아이들은 어른보다 더 빨리 전자기기를 다루는 방법을 터득하고 언어능력이 확장되는 것은 분명하다. 그러나 끝이 없이 재생되는 세계를 경험한 아이들은 참을성이 없어지는 것은 분명하다.

"시골 언제가?"

시골에 다녀온 지 이틀밖에 지나지 않았다. 그런데 아이는 텔레비전을 무한정으로 허용해 주는 시골에 가고 싶다.

친할머니와 거실에서 텔레비전을 마음껏 보다가 그만 보라고 하면 떼를 쓴다. 마음 약한 친할머니는 텔레비전을 보여줄 수밖에 없다. 할머니가 허용한 TV 시청 연장시간이 만료되면 더 보겠다고 떼를 쓰다가 안 되면 할아버지에게 쪼르르 달려간다. 그러면 친할아버지가 안방에서 텔레비전을 보여주기 때문이다.

"텔레비전 언제 봐?"
오늘도 아침부터 텔레비전이 보고 싶다며 나에게 압박 같은 짜증을 내는 아이를 상대하며 어떻게 해야 좋을지 고민이다. 아이가 애니메이션을 보기 위해 짜증 내지 않고 적절한 선 안에서 시청 시간을 정해주는 것이 중요하다. 그 방법이 있을까?

# 12화 사회생활을 시작하는 아이

조용하다. 하루 종일 종알거리던 아이의 목소리가 들리지 않으니 집안에 사람이 살지 않은 것 같다. 엄마와 단둘이 살았던 과거의 일상으로 돌아간 듯하다. 그러나 아이가 어질러 놓은 장난감들의 잔해가 방안에 뒹굴거리며 아이가 여전히 이곳에 살고 있다는 것을 알려주고 있다.

전업주부들은 어떻게 아이를 양육할까? 엄마는 위대하다는 생각을 다시금 하게 된다. 아이가 집에 찾아온 지 벌써 4달 째다. 아이를 양육해보지 않은 사람은 아이랑 함께 지내기가 무척 힘들다고 한다.

　나름 아이 돌보는데 자신이 있었다. 지금껏 만났던 아이들은 내가 하는 말에 집중을 잘했고, 나를 모두 좋아해 주었다. 교회에서 아이들을 가르칠 때는 거짓말을 조금 보태 뽀로로 만큼의 인기를 누리며 보냈다. 그래서 조카 손주도 마찬가지려니 생각했다. 이런 나의 예상은 좋게 빗나갔다. 잠시 아이를 만나는 것과 하루 종일 아이와 함께 하는 것은 하늘과 땅 차이다. 성장하는 아이의 성품 중 단면을 보는 것과 불안전한 전인격을 만나는 차이는 너무나 크다.

　혼자서 재미있게 놀고 있거나, 방글방글 웃으며 나의 지시에 순종하는 아이는 돌보기 쉽다. 그러나 자신의 욕구를 채우기 위해 짜증 내거나 울거나 찡찡거리는 것을 참아내야 하는 시간들이 생긴다. 아이와 힘겨루기가 시작되었다. 그러나 아직 승부가 나지 않았다. 나는 너의 보호자이고 너를 바른길로 가르쳐야 한다는 지도력을 보여주어야만 하는데 말이다.
　잠시 맡겨져 있을 때는 무엇이나 아이가 원하

는 것을 해줄 수 있다. 그러나 동거가 길어질수록 가정의 평화를 위해서는 누구의 말을 따라야 하는지 알려 주어야 한다. 증조할머니 고모할머니 사이에서 지금껏 아이는 우위를 선점 하고 있었다. 그러다 보니 나이 들고 몸을 움직이지 못하는 증조할머니를 무시하기도 하고, 고모할머니를 이겨보려고 한다.

아이는 엄마 아빠를 떠나 이제 어느 정도 자신의 상황을 인지하고 할머니들이 살고 있는 집에 적응을 한 듯 보인다. 그러나 지금껏 홀로 받아 왔던 사랑과 관심을 왕할머니와 나누어 받아야 하는 것은 힘들다. 아이의 사회생활이 시작된 것이다.

다행히 그토록 가고 싶어 하던 선교원(어린이집)에 다닐 수 있게 되었다. 또래 아이들과 어울리며 놀이를 통해 스트레스를 풀고 할머니들이 사는 집으로 돌아오면 더 정서적인 안정감을 갖게 되리라 생각한다. 다른 아이들에 비해 좀 더 일찍 세상 가운데 던져진 아이가 지금처럼 똥꼬 발랄하게 하루하루 지내기를 바란다.

## 13화 동화책 욕심

"도대체 왜 이 고생을 하고 있지?"

혼자 생각해도 너무 열성이다. 동화책 50권을 당근에서 무료 나눔을 받았다. 한낮의 뜨거운 뙤약볕에 고장 난 수레에 책을 싣고 질질 끌며 힘겹게 집으로 가는 길이다. 그나마 다행인 것이 바로 옆 아파트라는 점 이외에는 생각해도 내가 왜 사서 이 고생을 하는지 알다가도 모르겠다.

당근 나눔을 시작하게 된 계기가 동화책 때문이다. 집 바로 앞에 도서관이 있어서 책을 빌리면 그만이지만 어쩌다 보니 대여 기간을 넘기게 된 동화책이 생긴다. 단편 동화책은 바로 반납할 수 있지만 단편 동화 모음집은 모두 읽어 주고 난 후 반납을 하고 싶기 때문이다. 그렇다 보니 대여 기간을 연장하게 된다. 연장을 해도 다 읽어주지 못한 단편 동화가 남아 있다. 안 되겠다 싶어 당근마켓에서 동화책 나눔을 하는 곳이 있는지 알아보게 되었다.

다행히 동화책 나눔을 하는 당근님을 바로 찾을 수 있었다. 무려 20권이나. 쉽게 생각하고 가방에 넣어 들고 올 계획이었으나 나눔 장소가 거리가 있어서 차를 몰고 갔다. 그런데 나눔 받는 동화책의 글밥이 너무 많았다. 아이에게 잠자리 동화로 매일 3편을 들려주고 있는데 1편 분량이 이미 3편을 넘기는 분량이었다. 글밥이 적은 책도 있는데 가져가겠냐는 물음에 잠시 망설이다 50권 이상의 책을 더 나눔 받았다.

이번에도 당근에 유아 동화책 나눔이 있는 것을 알고 책 욕심이 났다. 집에서 가까운 아파트였다. 아이의 선교원에서 책 읽기 마라톤을 진행하고 있기 때문에 재미있는 책을 읽어 주고 싶다

는 생각에서다. 그러나 50권이나 되는 책을 들고
오기는 힘들어 포기했다. 누군가 다른 사람이 나
눔에 참여하겠지라는 생각으로 있는데 며칠이 지
나도 나눔이 진행 중이었다. 그렇다면 내가 다시
한번 욕심을 부려봐야겠다며 나눔을 받고 싶다고
쳇을 했다. 그렇게 해서 뜨거운 뙤약볕에 무거운
동화책을 질질 끌고 집으로 왔다.

　선교원에서 돌아온 아이가 새로운 동화책을 보
고 이책 저책 뒤적이며 좋아할 모습이 눈에 선하
다. 그리고 자신이 마음에 드는 동화책을 들고
와 잠들기 전 읽어 달라고 할 것이다. 동화를 듣
고 아이는 꿈나라로 이야기 여행을 떠나겠지. 아
이의 소꿉놀이 속에서 새로운 동화로 태어나겠
지. 허리도 아프고 힘이 들었지만 책 욕심을 내
길 잘했다.

# 14화 아이 얼굴에 난 상처

"엄마 이게 뭐야 진짜"

아이의 얼굴을 보자마자 엄마의 어깨를 툭툭 쳤다. 나의 손때가 매웠는지 엄마는 아프다는 표정을 지었지만 자신이 잘못했다는 것을 모르고 억울해 한다. 도대체 치매가 뭐길래 자신이 증조할머니 인지도 잊으신 모양이다.

"저것이 나를 골래야(놀려야)"

"야옹 야옹" 소리를 내며 고양이 인형을 들고 아이가 놀고 있었는데 엄마는 그 소리를 '네롱 네롱'으로 알아들은 것이다. 그도 그럴 것이 며칠 전 아이는 정말 증조할머니의 침대까지 와서 "네롱"을 외치고 도망갔기 때문이다. 움직이지 못하는 증조할머니가 자신이 어떻게 해도 잡지 못할 거라는 것을 아이는 알고 있다. 어쩌면 진짜 '네롱' 소리를 낸 증조할머니를 놀렸을지도 모른다.

사실 엄마는 자신을 놀리는 아이의 손을 잡고 한마디 하려고만 했을 뿐이다. 그러나 증조할머니의 손이 다가오자 아이는 본능적으로 몸을 피했다. 그런 바람에 증조할머니의 허공을 저어대던 떨리는 손이 아이의 여린 얼굴에 살짝 상처 자국을 남기고 말았다. 오른쪽 뺨에는 지난밤 모기가 피를 빨고 간 자국이 선명하게 붉게 남아 있다. 그런데 이번에는 왼쪽 뺨에 붉은 긴 고속도로를 만들어 놓았다. 나는 아이 얼굴을 보자 더 속상해졌다.

"엄마 어떻게 할 거야. 여자 애기 얼굴을 이렇게 만들어 놨으니"
아이들끼리 싸우다 얼굴을 긁히고 돌아온 자녀를 보며 엄마들이 속상해하는 것도 무리가 아니다. 이 얼토당토 않는 상황에 짜증이 났다. 내가 너무 화를 내고 엄마에게 아이 얼굴을 자세히 보여주니 안 되겠다 싶었는지 엄마는 아이에게 미안하다는 말을 했지만 이미 엎질러진 물이다. 상처에 바를 약을 찾아보았지만 보이지 않아 일단 바셀린을 발라 주었다. 그런데 시간이 지날수록 얼굴이 더 붉어지는 것이 아닌가?

아이는 처음에 당황했는지 억울했는지 울었다. 내가 엄마에게 소리를 지르고 짜증을 내니 놀랐는지 울음을 그쳤지만 여전히 얼굴을 감싸고 훌쩍거렸다.

"둘이 살아 나는 나갈 테니까"

"나는 이제부터 말 잘 들을 거야"

사태 파악을 한 아이는 내 기분을 맞추기 시작했다. 시간이 지날수록 아이 얼굴이 더 붉어지기 시작했다. 12시가 다 돼 간다. 토요일이라 약국문이 닫히기 전에 다녀와야겠다는 생각이 들었다.

"할머니 바를 약 사 올 테니 왕할머니랑 있어"

"나 뭐 해"

"왕할머니 보고 있어"

아이에게 증조할머니를 부탁했다. 엄마가 타고

있는 덜덜이의 타이머가 끝나면 시작을 다시 눌러 달라는 의미였다. 아이와 증조할머니는 내가 약국에 다녀올 때까지 더 이상의 실랑이는 없었다. 다행히 후시딘을 바른 아이의 얼굴은 시간이 지날수록 진정이 되었다. 집안에 평화는 다시 찾아왔다.

# 15화 우산춤을 추는 아이

"할머니 우산 가지고 나와야 해"

선교원에 가면서 아이는 말했다. 비가 오기를 기다리는 듯 말이다. 후덥지근한 습기가 정오를 달구고 지나간 오후 시간이다. 내릴 듯 말 듯한 비가 내리기 시작한다. 이제 장마가 시작되려는 것일까? 주룩 주르륵 내리는 빗소리를 들으며 아이를 마중 나갈 시간을 체크했다.

어떤 우산을 들고 나갈까? 우산 고를 생각을 하고 있지만, 집에 있는 아이의 우산이라야 고작 미술학원에서 선생님이 주신 비닐우산과 아파트

입구에서 주어온 분홍우산이 전부다. 아이는 비가 오는 날 우산 쓰기를 좋아한다. 장화도 신고 싶어 한다. 비를 가릴 도구가 필요한 것이 아니라 우산 자체를 쓰고 싶다.

토독토독 우산을 두드리는 빗방울 소리가 음악 같아서일까? 우산을 쓰면 헤쳐 가야 할 험한 세상에서 자신을 가려줄 방패 같은 무기 하나 가진 기분 이어서일까? 자신을 보호해 줄 공간을 확보한 이유에서일까 아무튼 아이는 우산을 좋아한다.

혼자서 우산을 펴기도 하고 접기도 하고 우산을 흔들며 춤추듯 놀기도 한다. 그래서 비 오는 날의 집안은 우산 춤을 추는 아이의 댄스장으로 변한다. 그러다 우산날에 살짝 몸을 스쳐 다치기도 하지만 그것마저 재미있는 놀이인지 우산을 가지고 놀기를 멈추지 않는다.

비 오는 날 아이에게 우산은 새로운 모험을 떠나 탐구해야 할 신세계다. 맑은 날에는 어른 손을 잡고 걸어가던 아이가 비 오는 날만 되면 우산을 잡고 혼자 걸어간다. 세상 당당한 모습이

따로 없다. 누구도 그 안에 들어오는 걸 허락하지 않는다. 혼자서도 무서울 것 없다는 듯이 앞장 서서 걸어 나가는 모습이 대견하다.

그치지 않을 것처럼 내리던 비가 잠시 소강상태에 접어들었다. 아이를 데리러 가야 할 시간이 다 되었다. 우산을 들고 갈까 말까 생각하다 우산을 챙겼다. 망설이지도 않고 걸려있는 우산 두 개를 모두 들었다. 하원차가 오기까지 비는 내리지 않았다. 학교를 마치고 집으로 돌아가는 중학생들도 우산을 쓴 아이는 없다. 선교원차가 도착하고 아이가 내렸다. 우산을 든 나를 보자 선생님께 인사도 잊은 채 우산 앞으로 달려들었다. 그리고 우산을 펼쳐달라고 했다.

"어 비가 안 오네"
우산을 쓰고 걷다가 멎은 비에 속상한 아이의 기분을 달래듯 하늘에서 한두 방울 이슬비가 내린다. 우산을 쓰고 가던 아이는 간식은 나중에 먹겠다며 바로 미술학원으로 직행했다. 그러다 집 앞에서 장화가 생각났는지 말했다.
"장화를 신고 갈 거야"

아이는 노란 토끼 장화를 신고 사인펜으로 그림이 그려진 투명 우산을 쓰고 사뿐 사뿐 나비춤을 추며 날아갈 듯 발걸음도 가볍게 미술학원으로 향했다.

# 16화 감기에 걸린 아이

오늘은 아이가 기다리고 기다리던 워터데이 날이다. 한 달 전부터 물총과 수영복을 준비해야한다며 호들갑을 떨면서 오늘만을 기다렸다. 그런데 오뉴월 감기라니.

잘 자고 일어난 아이의 콧구멍에 고여있는 것이 보였다. 감기에 걸리면 안 되는데 생각하며 아이의 코를 풀었다. 그런데 누런 코가 휴지에 묻어 나왔다. 밤사이 아이는 감기에 걸린 것이다.

어린이집이나 학원에 다니는 아이들은 감기에서 자유로울 수 없다. 미술 학원에 다니는 또래 아이도 감기에 걸려 며칠 나오지 못했다. 비가 며칠 동안 계속 내리다 보니 더웠다 습했다 하는 날씨에 어린 몸이 적응하지 못했나, 밤 기온이 내려갔는데도 이불을 덮지 않고 자서 일까. 어쩌면 어제 목욕을 하고 머리를 말려주지 않아서 일지도 모른다. 아이가 갑자기 감기에 걸린 이유를 이리저리 생각해 보았다.

오늘은 선교원에 도시락을 준비해 가야 한다. 김밥 재료는 마트에서 사 놓았다. 젊은 엄마들은 어떤 도시락을 아이들에게 싸줄지 잠시 생각해 보았다. 전업주부라면 모를까 바쁜 요즘 엄마들은 어쩌면 가장 단순한 김밥이나 초밥 도시락을 싸 줄 것 같았다. 물론 아이의 먹거리 중 보이는 부분을 더 신경을 쓰는 엄마들도 있다. 예쁜 캐릭터 모양의 도시락을 싸 올 수도 있다. 나로서는 절대 흉내 낼 수 없는 재주다.

아이의 도시락으로 가장 안전한 김밥을 말기로 했다. 도대체 몇십 년 만인지 모르겠다. 김밥을 어떻게 싸야 하는지 재료는 무엇인지도 생각나지 않았다. 얻어들은 정보로 소금으로 밥에 간을 하고 참기름을 치고 비볐다. 마트에서 사 온 단무지, 연근, 햄의 김밥 재료를 넣고 김밥을 말았는데 무언가 부족했다. 계란이 빠진 것을 깨닫고 계란을 부쳤다. 초록색 오이도 첨가해 보았다. 다행히 내 입맛에는 좋았다. 김밥을 마는 기술이 부족해 헐렁한 김밥이 되었지만 빨강, 노랑, 초록, 하양으로 봐줄 만 했다. 아이의 도시락에 말아놓은 김밥을 총총 담고 초밥도 두 개 넣었다. 자두와 귤을 반찬 담는 곳에 채워놓고 견과류를 넣고 도시락 뚜껑을 닫았다. 음료수도 하나 가방에 담아 주니 어려운 도시락은 준비는 끝.

급한 대로 약국에서 어린이 콧물 약과 종합 감기약을 사 왔다. 열도 기침도 없어서 약을 먹이면 콧물이 멈출 것만 같았다. 콧물약을 먹였지만 아이의 콧물은 계속 콧속에서 재생산되어 콧구멍을 채우고 코를 풀면 누런 코가 나왔다. 이쯤 되니 아이가 그토록 고대하던 워터데이에 보내야 하는지 고민이 됐다.

선생님께 콧물이 난다는 문자를 보냈다. 선생님은 등원하지 말라는 말을 하지 않았다.

"겨움이가 오늘을 기다렸을 텐데 아직 등원 시간이 남았으니 지켜보고 전화 주세요."

감기에 걸린 채로 오늘 물놀이를 한다면 감기가 더 심해지는 것은 아닐까 걱정이 됐다. 아이에게 감기가 심하면 선교원에 갈 수 없다고 하니 가고 싶다며 울먹였다. 잠시 망설이다 일단 선교원에 보내는 것으로 결정을 했다. 기왕 감기에 걸린 거 며칠 동안 조심해야 할 텐데, 오늘이라도 재미있게 노는 것이 나을 것 같다는 생각에서다. 요 며칠 마스크를 쓰지 않고 목에만 걸고 다녔는데 오늘은 마스크를 꼭 써야 한다는 당부도 했다.

아이의 하원 시간을 기다렸다. 감기가 더 심해진 것은 아닌지, 마스크를 쓰지 않고 다녀 다른 아이들에게 피해를 주는 것은 아닌지. 사실 감기에 걸린 아이를 어린이집에 보내면 다른 아이에게 감기를 옮기는 것이 가장 큰 걱정이다. 하원 시 차에서 내린 아이의 얼굴엔 마스크가 써져 있었다.

"재미있게 잘 놀았어요. 챙겨주신 약도 먹었어요. 그런데 콧물이 누래요. 주말 동안 지켜보셔야 할 거예요"

선생님은 말을 하며 안타까운 표정을 지었다.


집에 돌아온 아이는 졸리다며 바로 잠이 들었다. 너무 재미있게 잘 놀아서일까? 감기가 더 심해진 것은 아닐까? 괜히 비 오는 날 물놀이를 하는 데 감기에 걸린 아이를 보낸 것은 아닌지 후회가 됐다. 혹시 더 심하게 감기에 걸리는 것은 아닌지 걱정이 밀려왔다. 복잡한 마음에 아이 이마에 손을 짚어보았다. 다행히 열은 나지 않았다.

## 17화 보고 싶은 엄마

"눈물 나 엄마 보고 싶어. 가슴이 이상하고 눈물이 나"

아침에 눈을 뜬 아이는 오늘도 제일 먼저 엄마를 찾는다. 아이가 부르는 '엄마'라는 단어에 그리움만 가득하다. 입에서 나온 두 단어는 아이의 심장에 꽃히더니 바로 눈물샘을 자극한다. 두 눈에 그렁거리는 눈물을 보며 아이를 꼭 안아준다. 그러면 아이는 엄마를 향한 솟구치는 그리움을 품 안에서 잠시 잠재운다. 그리고 금세 다른 놀이에 몰두한다.

처음 부모와 떨어져 우리 집에 올 때만 해도 아이는 엄마에 대해 좋은 감정을 갖고 있지 않았다. 엄마가 아파서 병원에 입원하기 전에는 잠도 아빠랑 잤다고 한다. 몸이 급격히 피곤해졌던 아이 엄마가 전처럼 아이와 많이 놀아줄 수 없었기 때문이기도 하겠지. 자신과 놀아줄 아빠만 찾고 엄마와는 전화 통화도 잘 안 하려던 아이가 어느 날부터 아빠보다는 엄마를 먼저 찾게 됐다.

"헤어져 있어도 괜찮아요. 5살까지는 많이 놀아주었으니까요"

입원을 하게 된 아이 엄마는 아이 걱정은 내려놓고 건강 회복에 집중하려 했다. 그런데 건강이 회복되는 속도가 느려졌고 생각보다 오랫동안 아이와 떨어지게 되었다. 아이를 보고 싶고, 만지고 싶고, 안아주고 싶고, 뽀뽀하고 싶고, 이야기하고 싶었다. 아이가 엄마를 잊고 할아버지 할머니집을 순회하며 사랑받는 것이 안심되면서도 서운함이 들었는지 나에게 부탁했다.

"저 잊지 않게 해 주세요"

"걱정 마 아이는 엄마를 절대로 잊지 않아"

그렇다. 아이에게 엄마는 세상의 전부이기 때

문에 절대 잊을 수 없는 존재이다.

주말이면 아빠를 잠깐 만나고 하룻밤은 엄마를 보러 집에 가지만 그것도 잠깐 뿐이었지 아이는 엄마의 사랑과 애정에 갈수록 목말라 간다. 엄마가 사준 장난감을 가지고 놀고, 엄마가 챙겨준 옷을 좋아한다. 엄마가 해준 반찬이 맛있다고 이야기하며, 그 반찬을 해달란다. 엄마의 건강이 회복 되어 속히 집에 돌아갈 수 있기를 손꼽아 기다린다.

"가을에 만나자"라는 엄마의 약속을 잊지 않고 있다. 반팔을 벗고 긴팔 옷을 입으면 가을이라고 하자 긴팔 옷을 입고 싶다며 가을이 오기를 손꼽아 기다린다.

선교원에 가는 차를 기다리다 친구가 엄마랑 함께 있는 것을 보기만 해도 엄마 생각이 난다.

잠자리에 들 때면 언제나 엄마를 위해 기도한다.

"할머니 기도 안 했잖아 기도해야지!"

아이가 오던 날부터 식사기도와 잠자리 기도를 해주었다. 그랬더니 내가 기도하는 것을 빼먹기라도 하면 기도해 달라고 한다.

"오늘은 네가 기도해봐"

아이에게 기도를 넘긴다. 그러면 "나는 기도 잘 못 하는데" 하면서도 고사리 같은 손을 모으로 입을 열어 기도한다. 엄마를 위해, 엄마를 돌보는 아빠를 위해, 걷지 못하는 증조할머니를 위해.

교회에서 유치부 예배를 드릴 때는 아픈 엄마를 위한 기도 부탁을 해 선생님들의 눈물샘을 자아내기도 했다.

오늘도 아이의 소꿉놀이 속에서 엄마를 부른다.

"엄마 아빠는 지금 뭘 할까? 도라에몽의 상자가 있으면 좋겠어. 살짝 가서 보고 올 수 있을 텐데."

아빠 사랑해 엄마 사랑해
지은이 : 정겨움

아빠 사랑해
엄마 사랑해
우리 가족 사랑이야 가족
엄마 나 사랑해
아빠 아빠 땡큐
엄마 엄마 하트
엄마 엄마 아빠 사랑해
엄마 엄마 아빠 어머 어머 어머
겸이 겸이 정겨움 음~
랄라랄라 랄라
랄라랄라 랄라

## 18화 핑크공주

　오늘도 장바구니 가득 아이 옷을 담는다. 마음에 드는 옷 중 리뷰가 좋은 것을 선택해 구매를 누른다. 그리고 다시 더 예쁜 원피스가 없나 쇼핑몰 서치에 열을 올린다. 그러다 구매한 옷보다 더 마음에 드는 옷이 나타나면 이전 옷을 재빠르게 취소하고 새 옷을 구매한다. 이러다 보니 벌써 구매 취소를 누른 옷이 여섯 벌이다. 물론 구매한 옷도 세 벌이나 된다.

　아이는 가지고 온 옷 중 한 벌의 원피스에 꽂혔는지 그 옷만 입으려고 한다. 다른 예쁜 원피

스들도 많지만 몸에 까슬한 실밥이 조금만 달라
붙거나 끈이 불편한 옷은 입으려 하지 않는다.
바지도 마찬가지다. 자신이 좋아하는 옷이 분명
해서 다른 옷을 입혀보려고 어르고 달래도 도통
통하지 않는다. 입어보기는 하는데 마음에 안 든
다며 자신이 좋아하는 옷으로 바꿔 입는다.

"왜 왕할머니만 예쁜 옷을 입어?"
증조할머니에게 꽃무늬 옷을 입혀드렸더니 그
옷이 마음에 들었는지 자신도 예쁜 옷이 입고 싶
다고 말했다. 이곳에 올 때만 해도 공주라고 부
르니 자신은 공주가 아니라 왕자님이라고 불러
달라고 했는데 이제는 공주님이 될 거라고 한다.
물건을 살 때도 공주의 상징 핑크색을 선호한다.

며칠 전 아이의 분홍색 여름 잠옷을 한 벌 샀
다. 상의에 예쁜 공주의 얼굴이 크게 그려진 옷
이다. 아이는 택배 상자를 뜯자마자 "이 옷 맘에
들어"라며 당장 옷을 입었다. 내일도 입고 선교
원에 가겠다고 한다. 실외복이 아닌 실내복이라
고 이야기를 해도 한동안 막무가내다. 옷을 빨아
야 한다는 이유로 간신히 아이의 관심을 다른 데

로 돌릴 수 있었다.

  택배가 왔다. 아이의 새 옷이 도착했다. 화사한
두 벌의 원피스가 아이를 살랄라 공주로 만들어
줄 것이라는 생각에 마음이 부풀었다. '꽃무늬가
있으니 분명 아이도 좋아하겠지' 나의 이런 기대
와 달리 아이는 새 옷에 시큰둥하다. 옷을 입어
보더니 "불편해"를 외치며 당장 벗어버린다. 내
가 선택한 옷 두 벌 다 아이의 마음에 들지 않았
다. 화려한 원피스를 입고 유치원에 가는 동네
아이들의 모습을 보며 아이에게도 화사한 여름
원피스를 입혀주고 싶었는데 실패다. 두벌의 옷
은 아쉬운 마음을 뒤로하고 반품했다. 주문 한
옷 중 아직 한 벌의 원피스가 도착하지 않았다.
"이 옷 맘에 들어"하며 아이가 직접 선택한 가
슴에 반짝이가 반짝거리는 분홍색 원피스다.

  아이는 핑크공주로 변해가고 있다. 예민 보스
여자아이로 성장하고 있다. 아이의 머리를 묶고
분홍색 반짝이 머리핀을 꼽아주었다.
  "나 예뻐?, 나 공주님 같지"
  아이는 자신의 모습을 거울로 확인한다.

"선생님이 나 예쁘다고 하겠지"

만족스러운 미소를 활짝 지으며 선교원으로 향했다.

## 19화 옷 전쟁

아침부터 아이는 치마 타령이다.

"오늘 선생님이 편한 옷 입고 오랬어"

"치마 입고 싶어. 분홍치마 입으면 안 돼?"

"오늘 바지 입고 가야 해. 체육시간이 있대"

"그래도 오늘 치마 입고 싶은데 원피스 입으면 안 돼"

"오늘은 편한 바지 입고 가자"

동화책을 읽을 때면 그림에 나오는 여자아이를 가리키며 말한다.

"할머니 나는 이 애가 좋아"

영락없이 치마를 입고 있는 캐릭터이다.

"남자는 남자고 여자는 여자야 그치"

"나는 여자가 좋아, 나는 여왕이 좋아"

왕이 될 거라던 아이는 이제 여자를 좋아하고 여왕이 되고 싶어 한다.

그래서인지 유독 치마를 입고 싶어 한다. 그것도 분홍에 꽂혔다. 잠잘 때도 선교원에 갈 때도 분홍 옷을 하루 종일 입고 싶어 한다. 맘에 들은 옷이 있으면 그 옷을 갈아입지 않고 계속 입고 있다. 옷을 벗기려 하면 짜증을 내고 한참을 실랑이가 벌어진다. 나중에는 큰 소리를 내야만 옷을 갈아입힐 수가 있다.


선교원에 데려다주어야 할 시간은 다가오는데 아이는 자신이 입고 싶은 옷을 포기할 생각이 없다. 상의를 여러 벌 꺼내놓고 아이에게 고르라고 했다. 아이는 팔에 레이스가 달린 하얀티를 골랐다.

날이 흐려서 편한 긴 바지 5벌을 아이 앞에 펼쳐놓고 고르게 했다. 아이는 그중 어느 것 하나 입고 싶어 하지 않는다. 그러나 그중에서 하나를 골라야만 했기에 꽃무늬가 있는 고쟁이 바지를 골랐다. 여전히 입고 싶지 않은 아이는 이리저리 꼼지락거린다. 나는 아이에게 옷을 강제로 입혔다.

"이거 입기 싫어 불편해"

바지 하단의 고무줄이 발목을 조였는지 아이는 짜증을 냈고 바로 옷을 벗어버렸다.

"그럼 이거 입자"

내가 보기에 편해 보이는 체크무늬 옷을 아이에게 권했다.

"싫어 다른 거 입으면 안 돼? 언니들은 치마 입고 와"

"언니들 치마 입고 오면 말해?"

"어떻게 말해! 이미 입고 와 버렸는데"

아이는 선교원 언니들이 치마를 입고 올지 신경이 쓰이는지 내가 옷을 입히는 사이에도 순순히 다리를 바짓가랑이에 넣지 않는다. 참지 못하고 아이에게 버럭 소리를 지르고 말았다.

"너 이렇게 하면 할머니 힘들어"

"내가 더 힘들어"

아이는 내 목소리만큼 큰 소리로 나에게 맞대응한다. 입혀진 체크무늬 고생이 바지를 허벅지까지 끌어내리더니 얼굴을 찌푸리고 온몸을 비비

틀며 신경질까지 낸다.

"불편해 어떻게 입어. 불편하단 말이야"

"그럼 검정 바지 입을래?"

어쩔 수 없이 아이가 자주 입는 시원한 검정 통바지를 건네어야만 했다. 다행히 아이는 순순히 옷을 입었다.

자신이 고른 바지를 입고 난 후 상의에 여전히 미련이 남는지 아이는 말한다.

"나 분홍색 미키마우스 입고 가면 안 돼?"

옷을 다 입은 아이의 모습을 보니 흰색 상의가 치렁치렁 어깨선이 내려가 있다. 이번에도 아이의 선택을 따라 줄 수밖에 없었다.

입고 싶은 분홍치마는 아니지만 자신이 선택한 분홍색 미키마우스 옷을 입고 다행히 기분 좋게 가방을 메고 집을 나섰다.

# 20화 욕망 덩어리

　요즘 내 삶의 무게를 가볍게 하기 위해 노력하고 있다. 집 안에 있는 물건들을 볼 때마다 물어본다.

　"내게 필요한 물건인가?"

　"나의 욕망인가?"

　집안의 있는 물건들을 둘러본다. 가장 가까이 있는 물건부터 시작해 보자. 핸드폰은 내게 필요한 물건인가? 'yes', 필요하다. 그렇다면 다른 물건들을 어떠할까?

　내 안의 욕망을 비워내기 위해 노력 중이다. 3년 이상 안 쓴 물건들은 나눔을 하거나 버리거나 재판매 중이다.

오랫동안 신지 않고 자리만 차지하는 아끼는 구두를 저렴한 가격에 당근 했다. 요즘은 베란다를 가득채운 식물들을 나눔 하고 있다.

집안의 물건들을 다시 둘러보았다. 그런데 집 안 가득 채워진 것은 더 이상 내 물건이 아니다. 이미 아이의 물건으로 가득 차버렸다. 아이와 함께 한지 벌써 7개월. 옷과 책이 있는 방, 그리고 장난감이 있는 거실, 거의 집안의 반 이상을 아이의 물건으로 점령하고 있다고 봐도 좋겠다.

아이의 물건이 많이 있어서 좋은 점은 장난감들을 가지고 혼자서도 잘 논다. 옷방의 옷이 많아지자 자신이 입고 싶은 옷으로 골라 입는다. 책꽂이에 책들이 늘어나자 읽고 싶은 책을 자유롭게 꺼내서 본다는 점이다.

그런데 나쁜 점은 정리 정돈이 힘들다. 아이는 물건을 어지럽힐 줄 알았지만 정리 정돈은 하지 않는다. 정리 정돈을 하라고 하면 한마디 말로 정리는 하고 싶지 않다는 표현을 한다.

"나 힘들어"

"집에 가면 너 물건을 잘 정리 정돈해야 돼"

"그건 내가 알아서 할게"

집에 돌아가면 가지고 논 물건들은 정리하고 다른 놀이를 해야 한다고 이야기를 해주었더니 당당하게 말한다. 나에게는 당돌하게 들렸지만 말이다. 아이 말도 맞다. 여기서 해야 할 정리는 여기서 하는 걸로 집에까지 가서 정리하는 것을 내가 신경 쓸 필요는 없다.

요즘 부모들은 아이가 사달라는 것은 웬만하면 다 사주는 시대다. 신기하고 새로운 것이 보이면 우리 아이에게 사주면 어떨까 하는 생각에서 물건을 사들이게 된다. 이것도 부모의 욕망에서 나온 것이다.

나도 마찬가지다. 아이가 오기 전까지 엄마 물건들을 샀다면 아이가 오고 난 후부터는 아이 물건을 사고 있다. 간식부터 시작해 아이 머리핀이며 신발, 옷이며 장난감이며 학습지 등등 아이에게 필요할 것 같다는 생각에 자동적으로 주문을 하고 만다. 어쩌면 아이의 허영은 부모가 키워주고 있나 보다.

"고모 놀라지 마세요 장난감 많이 들고 가더라
도요"

잠시 집에 다니러 갔는데 아이 엄마의 전화가
왔다. 좁은 집에 아이 장난감으로 이미 가득인데
장난감을 더 들고 오겠다니.

집안에 물건들이 더 나뒹굴 거라는 생각에 들
고 오지 말라고 하고 싶었다. 그러나 아이 엄마
의 마음을 이해할 수 있었기에 차마 말은 하지
못했다. 아이와 함께 하지 못한 미안함에서인지
병원에서도 한번 쓰면 고장 날 값비싼 편의점 장
난감을 아이가 사달라는 대로 사주고 싶어 했다.

이번에도 아이는 빨간 모자를 사달라고 부모를
졸랐나 보다. 빨간 모자를 사러 간 곳에서 아이
는 인어공주 인형과 변신 로봇까지 득템 해왔다.
아이는 매의 눈으로 비슷한 인형이지만 자신에게
는 없는 것을 찾아냈고 부모는 아이의 원하는 것
을 아낌없이 사주었다. 지금껏 함께 하지 못한
것에 대한 보상처럼 말이다.

그렇다면 아이는 그것으로 만족할까? 인형들을
소중히 대하며 잘 가지고 놀았지만 다음에도 한
눈에 사로잡는 새로운 인형을 사달라고 할 것이

다. 비슷하지만 새로운 아이 상품들은 끊임없이 만들어지고 있으니!

오늘도 아이는 현관에 놓여있는 택배를 보며 물어온다.
"이거 내 거야?"
아이는 그것이 어떤 물건인지 관심이 없다. 그 저 자신의 것인지 아닌지가 중요한 것이다.
하루에도 서너 개 이상 집 앞으로 택배가 오고 있다. 택배 박스를 보며 생각한다. 나에게 이것이 필요한 것인지? 나의 욕망인지?

내 맘속을 들여다본다. 이 물건은 나에게 필요 해서이기보다 나의 욕망 때문이구나. 아~나 또한 어쩔 수 없는 욕망덩어리구나.

## 21화 벌이 쏘고 간 자국

요즘 아이의 얼굴을 자주 들여 다 본다. 우리 집에 올 때만 해도 깨끗했던 얼굴이 작은 점도 생기고 검붉은 기운도 보인다. 모기가 물고 간 자국과 손톱의 스친 곳이 다른 해보다 더 뜨거운 태양 볕 때문인지 아이 얼굴에 흔적을 남겨 놓았다. 그런데 예쁜 얼굴에 더 큰 일이 벌어지고 말았다.

놀이터에서 놀고 온 아이가 씻고 나자 아이 얼굴의 코 옆 부분이 붉어져 있는 것을 보았다. 그 때까지만 해도 대수롭게 여기지 않았다.

"너 선교원에서 누구랑 싸웠니? 누가 얼굴을 긁었어?"

아이 얼굴의 붉은 자국이 요즘 자주 이야기하는 장난꾸러기 남자친구의 소행이라고 지레짐작했다. 일단 아이 얼굴에 후시딘을 발라주었다. 붉은 기는 금방 진정될 거라고 생각하면서 말이다.

아이 얼굴의 붉은 자국은 아직 사라지지 않았다. 자세히 보니 누군가 긁고 간 상처가 아니었다. 붉은 자국 안에 콕콕콕 쪼아놓은 바늘 자국이 보였기 때문이다. 벌에 쏘인 것이었다. 얼마나 아팠을까? 대수롭게 생각하지 않았는데, 아이도 자신이 벌에 쏘였다는 것을 이제야 알게 되었다.

"너 벌에 쏘였나 봐"
"그럼 카드로 먼저 긁어야지"

벌에 쏘였을 때 응급처치 방법 영상을 본 아이는 말했다. 다행히 벌침을 얼굴에 남겨두지는 않았다. 다음날 상처에 붙이는 습윤밴드를 붙여주었더니 오후가 되자 다행히 붉은 기는 모두 가라앉았다. 그런데 벌이 쏘고 간 자리에 벌침 자국이 남아 있었다.

아이 엄마에게 이야기를 해야 하나 말아야 하나 생각하다 하루가 지나 아이 사진을 톡으로 보내며 알려주었다. 아이 엄마는 먼저 벌침은 없었는지 물어왔다. 나는 아이가 벌에 쏘인 줄도 몰랐다고 했더니 아이 엄마의 대답이다.

"만나면 잘 달래주어야겠어요. 많이 아팠겠어요."

저녁 즈음 아이 아빠가 아이 얼굴이 걱정이 되었는지 영상통화를 시도해 왔다.

"우리 겨움이 얼굴에 살이 빠졌네"
아이 얼굴을 보며 한 단 한마디였지만 아이 아빠의 속상한 마음을 읽을 수 있었다.


오늘도 아이 얼굴을 소독하고 습윤밴드를 붙여주며 상처가 남을까 남지 않을까 다시 한번 살펴본다. 이 정도 상처로 흉터가 남지는 않겠지만 혹시 점이 되는 것은 아닐까? 걱정이 된다. 백지처럼 깨끗하던 아이의 얼굴이 점점점점. 점이 찍히고 있다. 북두칠성이라도 그리려는 듯 말이다.

## 22화 아이가 열날 때 대처 방법

어떤 상황에 부딪혔을 때 이러지도 저러지도 못할 때가 있다. 지금껏 경험하지 못한 당황스러운 일이 생길 때이다. 아이가 아플 때는 더욱 그러하다.

한밤중이다. 잠자는 아이의 얼굴을 지켜보다 걱정스러워 아이의 이마를 짚어보았다. 내 손으로 전해져 오는 열기가 예사롭지 않았다. 체온계를 가져와 귀에 재어보니 아니나 다를까 39.1도가 나왔다. 잘못 잰 것은 아닌가 싶어 다른 쪽 귀에 체온계를 대보았다. 39.4도이다. 온도가 이렇게 높으면 병원에를 데려가야 하나 갑자기 명확한 판단이 서지 않았다. 잠자는 아이의 모습은 열이 나는 것 이외에 다른 이상한 낌새는 보이지 않았다. 아이의 이마에 차가운 물수건을 대주었다. 그것이 답답했는지 아이는 물수건을 손으로 밀쳐냈다.

걱정스러운 목소리로 물수건 때문에 잠이 살짝 깬 아이에게 물었다.

"뜨겁니?"

"어디 다른데 아픈 데는 없어?"

아이는 잠에서 깨어 힘없는 얼굴로 물끄러미 나를 쳐다본다. 그리고 대답했다.

"안 아파 괜찮아"

그러나 나는 안심이 되지 않아 같은 말을 여러 번 아이에게 물으며 물수건으로 이마를 닦아댔다. 그러자 아이는 똑같은 물음이 귀찮았는지 그만 물으라고 했다.

아이들은 열이 나더라도 컨디션이 괜찮으면 걱정할 필요가 없다는 유튜브 소아과 의사의 이야기가 생각났다.

잠을 자는 둥 마는 둥 아이를 지켜보다 잠시

잠이 들었는데 아침이 밝아왔다.

아침에 일어난 아이의 체온을 재어보니 여전히 38.4도 이상이 나왔다. 몸이 썩 좋지 않은지 일어나서도 다른 때처럼 놀지 않았다. 아프니까 잘 쉬어야 한다는 나의 말 때문인지도 모른다. 아침이면 틀어주는 동화를 들으며 누워만 있었다.

아이가 열이 난 것을 발견한 것은 토요일 오후였다. 아이의 몸을 만졌는데 다른 날보다 더 몸이 뜨거웠다. 아쉽게도 얼마 전 해열제를 냉장고에 보관하다 버려버렸다. 괜찮아지겠지 하며 종합 감기약만 먹였다. 그런데 하루가 지나도록 아이의 열은 내려가지 않았다. 일요일 아침 어떻게 해야 하나 고민하다. 안 되겠다 싶어 동네 약국으로 해열제를 사러 나섰다.

옆집 문이 열려 있어 아이가 열이 나니 어떡하면 좋겠냐고 물어보았다. 옆집에 사는 아이 엄마는 병원에서 간호사로 일하고 있다.
"아이들 열나면 큰일이니 병원에 데려가세요?"
전문가의 말을 들으니 응급실이라도 가야겠다

는 생각이 들었다. 옆집에서 중학생 아들이 먹다 남은 해열제를 반만 먹이라며 나누어 주었다.

당장 가까운 종합병원 응급실로 아이를 데려갔다. 아이는 병원에 가기까지 주사 맞을 걱정에 좌불안석이다.

응급실에는 감기 환자들이 가득했다. 코로나 검사를 통해 코로나 확진을 받는 이가 대부분이었다. 아이 순서가 되었다. 독감 검사와 코로나 검사 두 개의 검사를 기본적으로 했다.

아이는 어떻게든 코에 들어가는 검사용 기구를 피하려 했지만 뚱뚱한 간호사는 단호했다.

"네가 안 하려고 해도 해야만 해"

다행히 세 번의 코 찌르기를 통해 두 개의 검사를 마쳤다. 15분을 기다려 검사 결과를 들었는데 다행히 독감도 코로나도 걸리지 않았다. 당직 의사는 가볍게 이야기를 했다.

"응급실까지 안 오셔도 되었겠어요. 아무것도 없네요. 약국이나 편의점에서 해열제 사서 먹여도 되셨네요"

"남의 귀한 새끼가 열이 나서... 무슨 일이라도 생기면 안 되니 걱정되서 왔어요"

모든 걱정이 사라졌다.

일요일 응급실 병원비는 2만 원이 넘게 청구되었다. 코로나가 의심될 경우에 코로나 검사 비용은 받지 않는다. 그러나 독감 검사 비용은 청구되었다.

하루분의 해열제를 먹고 다행히 아이의 열은 모두 내렸다. 날이 덥다는 이유로 아이스크림 먹고 얼음 먹고 차가운 것만 찾아 먹는 것을 그대로 두었다. 저녁에도 에어컨 바람에 옷은 얇게 입혀 재웠다. 이불도 안 덮고 자는 아이인데 말이다.

아이가 열이 난 이유는 냉방병일 것이다.

당장 아이스크림은 물론 차가운 것 금지, 저녁에 잘 때는 옷을 잘 입혀 재우기, 더워도 에어컨 틀지 않은 방에서 재우기.

아이는 아이스크림과 차가운 것을 먹지 못하는 아쉬움을 표했지만 어쩔 수 없다. 남의 귀한 새끼 먹고 싶다는 대로 단것과 찬 것을 마구 먹였는데 응급실에 다녀오길 잘했다.

## 23화 태풍이 불어오던 날
## 아이와 노는 법

뉴스를 보지 않고 산다. 돌아가는 세상사에 관심이 없기 때문이다. 오늘도 비가 내리고 있지만 우리나라를 향해 큰 태풍이 몰려오고 있는지 알지 못했다.

하원 하는 선교원 차에서 내린 아이는 나의 손을 잡더니 뜬금없이 태풍 이야기를 꺼냈다.
"할머니 우리나라에 태풍이 불어오고 있대"
"그렇구나 그걸 어떻게 알았어?"
아직 어린데 대견하다 싶어 아이에게 질문을

했다.

"선생님이 알려 주셨어"

선교원에서 태풍이 이야기 주제였구나.

아이의 도시락을 씻기 위해 가방을 열어보자 안내문 한 장이 있었다. 태풍에 대한 질문지였다.

태풍의 이름을 알아보고 이번 태풍이 어느 나라에서 이름을 지었는지 알아 오라는 내용이었다. 아이 덕분에 이번 태풍에 대한 관심을 갖게 되었다. 6호 태풍의 이름은 '카눈'이다. '웨이더'를 통해 알아본 결과 카눈은 그 위력이 강했으며, 한반도의 중심을 가로질러 북한까지 영향을 미칠 것으로 보인다. 태풍의 경로를 보니 광주는 직접적인 영향이 없었다. 그러나 날씨는 예보대로 움직이지 않기도 한다. '카눈'의 이름을 지은 나라는 태국이다. 태국 열대과일 명이라고 한다. 아이 덕분에 태풍 이름에 대한 공부를 하게 되었다.

밤사이 아파트에서 문단속을 잘하라는 방송이 흘러나왔다. 코로나 이후 뜬금없이 큰소리로 울려대는 재난 문자 소리에 놀랄 때가 많아 해제를 해두었는데 다시 재난 문자 소식도 받기로 설정했다. 교육청에서 아이들 등원을 자제해 달라는 요청이 있었는지 아이가 다니는 선교원에서 문자가 왔다. 태풍으로 인해 차량 운행을 하지 않겠다는 것이다. 집에서 아이를 돌봐주되 긴급 보육이 필요할 경우 자차로 등원해 달라는 요청도 있었다. 얼마나 태풍의 기세가 강하길래 광주를 관통하지 않는다는 예보에도 이렇게 까지하나 싶었다. 나름 태풍의 강세가 염려됐다.

새벽 6시, 세찬 바람을 동반하나 궁금해 현관문을 열었지만 잠잠히 비만 내렸다. 아이 등원을 어찌할까 고민이 됐다. 그 고민은 9시까지 계속되었다. 아파트 앞뒤 문을 열어놓고 바람의 강도를 체크하기 시작했다. 경비 아저씨가 복도 창문을 다 닫아놓았는데 우리 집 앞 복도 창문은 내가 열어 두었다. 9시 무렵 바람이 세차게 불기 시작했다.

선교원을 가지 못하는 것이 못내 아쉬운지 아이는 내게 물어왔다.

"아쉽다. 친구들은?"

아이의 마음을 읽고 가방을 메고 집 문을 나서

는데 바람 소리가 예사롭지 않았다. 엘리베이터 앞까지 가기 전에 다시 집으로 돌아왔다. 지난 바람에 비해서는 아무것도 아닌 것처럼 느껴졌지만 운전을 하고 나설 자신이 없었기 때문이다.

"오늘은 안 되겠다. 집에서 쉬자. 바람이 너무 세게 불어"

아이의 서운한 마음은 애니를 보여 주니 금세 선교원에 안 가겠다로 변했다.

그런데 만화를 그만 보라고 하자 "나 뭐 해 심심해"를 외치며 짜증을 내려한다. 덕분에 하루 종일 아이와 그리기, 물감놀이, 종이접기 등 심심하지 않게 놀아주어야만 했다. 선생님들에게는 '외부에서는 태풍이 불어도 내부는 잠잠한 날이겠구나' 생각이 든다. 많은 일정은 아니지만 나를 위한 계획은 모두 취소되었다.

다행히 바깥의 바람은 오후가 되자 잠잠해졌다. 모처럼 비바람으로 무더위가 사라진 날 문을 열어놓았더니 옆집 아이 소리가 들려온다. 중학생인데 우리 집 아이처럼 학교에 가지 않았나 보다. 부모가 모두 출근하고 혼자 집에 있어인지

컴퓨터 게임 소리, 친구와 통화하는 소리가 요란
하게 들려왔다.

　"광주는 바람도 많이 불지 않은데 말이야....."
너도 내 맘 같구나.."

# 24화 빨리빨리 할머니

중국 사람들을 '만만디(느린)'민족이라고 한다면 한국 사람들은 '빨리빨리'의 민족이다. 외국인들이 한국에 와서 가장 먼저 배우는 단어가 욕일 수도 있지만 '빨리빨리'를 가장 먼저 배운다고 한다.

나는 한국인의 기질을 가장 많이 가지고 태어났는지 '빨리빨리'를 외치는 사람이다. 다른 사람들과 협동 해서 해야 하는 일에도 상대방이 조금이라도 늦으면 속이 터졌다. 기다릴 줄 모르는 사람이었다. 그래서 언제나 그 사람의 속도를 기다리다 못해 내가 일을 더 많이 하게 되었다.

'빨리빨리'를 외치며 살던 내가 엄마를 돌보면서부터 중국 사람처럼 조금씩 '만만디'로 변해갔다. 엄마는 행동이 느렸고 자칫 잘못 낙상이라는 사고를 부를 수 있기 때문이었다. 무슨 일을 할 때마다 '천천히 해'를 외치며 기다릴 줄 아는 사람이 되었다. 엄마를 돌보는 하루하루는 급할 것 없이 서서히 흐르는 강물처럼 조용히 지나가는 시간이었다. 어제가 오늘 같고 오늘이 어제 같은 하루하루를 보내고 있었다.

그런데 아이가 집에 오면서부터 언제부터인가 '빨리빨리'를 외치고 있는 모습을 발견한다. 무슨 일을 하건 아이의 속도를 기다리지 못하고 외쳐 댄다.

"빨리빨리 해"

이 외침은 아이가 아침에 일어나서부터 시작된다.

"화장실 다녀왔어?"

아이는 나의 질문에 아랑곳하지 않는다. 뭉그

적뭉그적 자신이 하고 싶은 일을 먼저 한다. 기분이 좋을 때는 자신이 마음에 드는 장난감을 찾아다니며 화장실에 가야 하는 것을 늦추기 일쑤다. 기분이 좋지 않을 때도 마찬가지다. 조금이라도 더 늦게 화장실에 가고 싶은 것인지 나의 말에 행동으로 옮길 생각 없이 울상만 짓는다. 몇 번을 이야기해도 말을 듣지 않을 때 자동적으로 '빨리빨리'가 나온다. 계속 소변을 참고 있던 아이도 이 말이 들릴 즈음이면 화장실에서 소변을 누고 나온다. 그러나 그것으로 끝이다. 아이의 뭉그적임은 다시 시작된다.

"세수했어?"
물어보는 나에게 아이는 대부분 세수를 했다고 대답을 한다. 얼굴에는 밤사이 흘린 침이 맹구 입처럼 하얀 칠이 그려졌고 눈에는 눈곱이 끼여 있는데도 말이다. 또다시 나의 '빨리빨리'가 작동한다. 그렇게 아이는 일어나면서부터 가장 많이 듣는 소리가 '빨리빨리'가 된다.

아이가 기상한 후 외치는 나의 '빨리빨리' 소리는 밥 먹는 시간에 비하면 빙산의 일각이다. 앉

앉다 일어났다. 의자를 뺐다 넣었다. 몸을 비틀었다. 다리를 꼬았다 행동만으로 모자란다. 아이의 입에서는 밥을 먹는 내내 쉴 새 없는 사설이 이어진다.

"할머니~ 이거 안 먹으면 안 돼?"

"할머니 호박 세 개만 먹을게"

아직 숟가락도 뜨지 않은 밥상에서 먼저 자신이 먹고 싶지 않은 반찬을 말하는 것으로 시작해서 밥 먹는 내내 쉬지 않고 움직이며 쉬지 않고 말을 한다. 그러다 보면 30분은 훌쩍 지나고 한 시간이 되기도 한다. '밥 안 먹으면 간식이 없다느니, 안 먹을 거면 밥을 먹지 말라느니'하는 나의 협박 같은 경고에도 아이는 흔들리지 않고 자신의 속도로 밥상을 대한다. 이럴 때면 언제나 나의 입에서 나오는 말이다.

"그만 말하고 빨리 밥 먹어"

밥을 먹고 옷을 입을 때도 마찬가지다. 혼자서 옷을 입게 하기 위해 갈아입을 옷을 아이 앞에 내려놓고 옷을 입게 만든다. 그럴 때면 아이는 혼자서 곧잘 입다가도 도움을 요청하는 신호를 보낸다.

"할머니 이렇게? 이게 앞이야?"

팔이 잘못 들어간다든지 바지에 발이 들어가다 막혀버리면 그때부터 늦장을 부리기 시작한다. 혼자서 옷을 입지 못하겠다는 말이다.

"혼자 옷 입을 수 있잖아. 빨리 입어"

이렇게 아이가 잠자리에 들 때까지 '빨리빨리' 소리는 끝나지 않는다

"빨리 자"

엄마에게는 빨리하란 소리를 하지 않는다. 언제나 작은 것 하나 제대로 하지 못해도 잘했다는 칭찬의 말을 입에 달고 사는데 아이에게는 빨리빨리를 외치고 있다. 나는 왜 아이에게 빨리빨리를 외치고 있을까? 내가 너무 성격이 급해서일까? 맞다. 잠재의식 속에 있던 나의 기본 기질이 아이를 양육하며 재발동하고 있다.

그러나 아이에게 '빨리빨리' 외치는데 더 큰 이유도 있다는 것을 발견한다.

할머니에게는 더 이상 기대하는 것이 없다. 그래서 천천히 해도 괜찮다. 그냥 지금 그 모습만이라도 감사하게 받아들이고 있다. 그러나 아이

는 다르다. 좀 더 성장해 주길 바란다. 좀 더 잘 할 수 있기를 바란다. 혼자서도 자신이 해야 할 기본생활 습관을 바르게 익혀주길 바란다.

아이를 향한 기대의 마음에서 나오는 말이 나의 '빨리빨리'이다.

## 25화 이 또한 지나가리라

"할머니 왕할머니 다쳐서 속상해?"

응급실에 따라온 아이는 내 옆에 의젓하게 앉아서 내 등을 그 작은 손으로 다독거리며 말했다. 미술학원이 끝나는 시간이 되어 아이를 데리러 잠시 다녀온 사이 사건이 일어나고 말았다.

"엄마 나 왔어"

문을 열고 집안으로 들어섰을 때부터 서늘한 기운이 감돌았다. 아이 엄마와 영상통화를 하던 중이었는데 인사도 없이 핸드폰을 그대로 꺼버렸다. 엄마가 침대 아래서 한 발은 쭉 뻗고 한 발을 무릎 꿇고 앉아 있었기 때문이다. 문제는 무릎 꿇고 앉아 있는 다리가 이젠 구부려지지 않는 다리라는 것이다.

내려오지 말라고 그렇게 당부를 하고 나갔었만 엄마의 생각 주머니는 더 이상 사람의 말을 오래 담아두지 못하게 되었다. 그저 자신의 순간적인 생각이 이끄는 대로 걸을 수 없는 다리를 움직였다.

"왜 내려왔어? 내려오지 말랬잖아"

언젠가 이런 일이 또 생길 수도 있다고 생각했지만 다시 생길 것이라고는 예상하지 못했다. 그것도 10분도 안 된 시간 안에 벌어지다니

"아이고 아이고"

엄마는 자신의 가슴을 두드리며, 흐느끼고 후회했지만 이미 때는 늦었다. 구부려진 다리를 펴드리자 엄마는 몹시 아파했다. 일어설 수 있겠느냐는 나의 물음에 엄마는 일어서보겠다고 했지만 일어서려는 시도조차 할 수 없었다. 무언가 큰일이 생긴 것이다. 구부리지 못한 무릎에 이상이라도 생긴 것은 아닐까? 인공고관절에 무슨 문제라

도 생긴 것은 아닐까? 119를 불렀다. 가까운 병원 응급실로 엄마를 모셨다.

"왜? 어쩌다!"

엄마와 나의 상황을 잘 아시는 의사 선생님은 엄마를 보며 안타까워했다. 엑스레이를 찍은 결과 걱정했던 인공고관절이나 무릎에는 문제가 없었다. 그런데 무릎 아래 부분이 부러져 있었다. 다리에 힘을 주지 못하고 무릎을 구부리게 되면서 허벅지 부분까지 뼈 대신 넣어진 인공고관절이 아래쪽 다리뼈를 부러뜨린 것 같다.

"뼈가 붙으려면 몇 개월 걸릴까요?"

빨리 움직이려면 철심을 심어야 하고 깁스를 하면 3개월이 걸린다고 한다. 잠시의 고민도 없이 깁스를 선택했다. 움직이지 못하는 엄마의 상황을 알아서인지 다리 처치를 한 후 의사 선생님은 집으로 돌아갈 것인지 입원을 할 것인지 물어왔다.

아이 때문에 잠시 고민했다. 아이는 작은 할머니집에 일단 맡기기로 하고 깁스를 하기까지 입원을 결정했다. 다시 병원 생활을 하게 됐다. 그것도 갑자기 아이를 돌보고 있는 상황에서 말이다..

'아니 땐 굴뚝에 연기 날까?'라는 속담이 생각이 난다. 24시간 엄마를 혼자서 돌본다는 것은 사실 무리다. 그럼에도 불구하고 내 시간을 엄마를 위해 모두 사용하고 있다. 그런데도 잠시 빈틈을 타고 사고는 생겼다.

힘없는 다리, 정신없는 생각, 그러나 아직도 무언가를 할 수 있다고 자동으로 움직이는 엄마의 몸⋯⋯

그럼에도 불구하고 조금만 더 신경 썼더라면 사고가 나지 않을 수도 있었는데 하며 자신을 자책해 본다. 그러나 이미 벌어진 일이다. 하루하루 시간이 어서 흘러가기를 바랄 뿐이다. '이 또한 지나가리라'처럼 말이다.

이 모든 상황을 아이는 조용히 지켜보고 있었다. 엄마가 아픈 관계로 응급 상황을 여러 번 겪었는지 아이는 나를 위로 하듯 침착하게 말했다.

"왕할머니 처럼 할머니가 돼도 나는 침대에서 내려오지 않을 거야"

# 26화 희망이 있다.

　내일에 대한 희망이 없다면 우리 삶은 얼마나 고통스러울까?

　아이 엄마가 퇴원했다. 서울 병원으로 아이 엄마의 간이식 수술을 결정하고 올라간 지 벌써 한 달이 지났다. 한동안 엄마 보고 싶다고 울어대던 아이는 엄마가 수술을 하고 회복하는 동안 엄마 아빠가 보고 싶다고는 했지만 울지 않았다.

　아이 엄마의 수술을 위해 부모가 서울 큰 병원으로 가기 한 달 전 즈음 아이 엄마의 병문안을 갔을 때였다. 아이는 엄마의 모습이 낯설었는지 힐끔힐끔 엄마 얼굴을 쳐다보았다. 안아보고 싶어 하는 엄마에게서 살짝 몸을 피했다. 그리고 아빠 품에 안겨 엄마를 돌아다볼 뿐이었다. 엄마의 상태가 보기에도 많이 아파 보인다는 것을 한눈에 알았다. 엄마에게 온전히 가까이 가지 못했던 아이였지만 그래도 병원에서 아빠와 환자복을 입은 엄마와 함께 찍은 사진을 보며 밥을 먹었다.

서울 큰 병원에서 수술하기 전 날 엄마와 영상통화를 하는 아이의 눈에 이모가 환자복을 입고 있는 것이 들어왔다. 아이는 이모가 왜 병원에 입원했냐고 물어왔다. 이모가 엄마를 도와주기 위해 왔다고 얼버무리고 말았지만 수술이 잘 끝났다는 소식을 들은 후에 아이에게 엄마가 수술을 했다고 알려주었다.

엄마의 간이 아프다는 것을 아이는 이미 알고 있었지만 수술한다는 이야기를 아직 하지 않았던 것이다.

"이모가 엄마에게 간을 나누어 주는 거야. 엄마 건강해지라고"

아이 엄마와 이모가 수술을 무사히 마치고 건강하게 잘 회복되기를 기도하며 하루하루 보냈다.

다행히 아이 엄마의 수술은 성공적이었고 간을 공여해 준 이모도 별 탈 없이 퇴원을 했다. 엄마의 수술 후 사진을 보여주자 아이는 엄마 얼굴을 외면했다.

"저리 치워"

몸에 산소호흡기며 콧줄이며 이것저것 끼워져 있던 엄마의 모습이 아이가 보기에 공포스럽게 느껴졌으리라. 좀 더 건강해진 아이 엄마는 아이와 영상통화를 시도했지만 아직 엄마의 모습을 받아들이기 힘들었는지 영상통화를 거부했다.

어느 정도 회복이 되자 아이 엄마는 아이에게 곧 집에 데려갈 거라는 약속을 했다. 그날부터 아이는 자신의 짐을 하나씩 싸기 시작했다.

"할머니 나 이거 집에 가져갈 거야"

"지금 집에 가는 거 아니야 좀 더 기다려야 돼"

"그래도 지금부터 집에 갈 준비를 해야지"

엄마가 회복되기 위해서는 시간이 더 필요하다고 이야기했지만 아이는 지금이라도 당장 집으로 돌아갈 수 있도록 짐들을 챙기기 시작했다.

지난 목요일 퇴원을 한 아이 부모는 강진 집으로 내려가는 도중 아이를 보러 들렀다. 아이가 부모의 얼굴을 보지 못한 지 한 달 만이었다. 조금씩 예전의 모습을 되찾기 시작한 엄마를 보며 아이는 살짝 어색해했다. 그러나 친근하게 엄마 품에 안겼다.

엄마 아빠가 얼굴만 잠깐 보여주고 자기만 남겨놓고 가려고 하자 아이는 서럽게 울었다. 엄마 아빠와 헤어지는 것이 힘들었나 보다. 아이를 놓고 가는 부모의 마음은 또 어떠하랴?
부모가 다녀가고 아이에게 왜 울었는지 물어보았다.
"왜 울었어?"
"할머니가 엄마 아빠가 가라고 했잖아 조금밖에 못 봤단 말이야"
아이 엄마가 서울에서 광주로 내려오는 긴 여정으로 인해 피곤할 것 같아 빨리 내려가라고 한 것인데 아이의 마음까지는 헤아리지 못했다는 것을 알았다.

주말이 되어 시골 할아버지 집에 다니러 간 아이는 엄마 아빠의 부름을 받고 거의 네 달 만에 자신의 집으로 갔다.

엄마 아빠와 함께 그토록 가고 싶었던 집으로 잠시 돌아간 것이다. 아이는 집에 있는 내내 방방 뛰었다고 한다. 소파에서도 거실에서도 침대에서도. 아직 아이를 돌볼 만큼 회복되지 못한 아이 엄마는 에너지 넘치는 아이를 돌보는 것이 힘에 부쳤다. 그러나 그것마저 행복해했다. 아이는 부모가 데려다주겠다던 날짜를 다 채우지 못하고 다시 광주로 오게 되었다.

엄마 아빠와 함께 우리 집으로 들어오는 아이의 얼굴은 환하기 그지없다. 공주 옷을 입고 공주 인형을 들고 있다. 아이 뒤를 따라오는 부모의 두 손에도 아이의 선물로 가득하다. 다시 엄마 아빠와 헤어져야 했지만 아이는 울지 않았다. 집으로 돌아갈 수 있다는 것을 아는지 아이는 가져온 인형과 엄마 아빠가 사준 선물들을 가지고 즐겁게 놀고 있다. 감사한 날이다.

아이 엄마가 건강해 지기를 기도하며 희망의 끈을 놓지 않고 지난 7개월을 보냈다. 긴 어둠의 터널을 지나고 빛이 보이기 시작했다.

희망이 찾아왔다.

## 27화 가을을 기다린다

　더위가 한풀 꺾였다. 그러나 집안의 에어컨은 여전히 하루 종일 돌아간다. 한낮의 매미 소리가 바람 소리와 어우러져 시원하게 들려온다. 이제 곧 무더웠던 여름은 언제 그렇게 뜨거웠냐는 듯 아스라이 지나가고 선선한 가을이 우리 곁으로 다가오겠지. 그날을 기다린다.

　다리에 깁스를 한 엄마는 침대에 누워서만 한 달째 지내고 있다. 시간이 멈춘듯하더니 하루 이틀 생활도 익숙해져 가고 있다. 그러나 아직도 두 달을 더 다리에 깁스를 한 채 침대에서만 누워서 생활해야 한다. 시간이 더 빨리 지나가기를 뜨거운 열기에 사그라들어버린 가을 바람에게 부탁해 보지만, 아직은 작은 미풍마저 콘크리트 속으로 태워버리는 저 태양이 야속할 뿐이다.

아이는 무더웠던 날들을 보내고 가을바람과 함께 부모 곁으로 돌아갈 것이다. 아이도 그날을 기다린다.


이제 그렇게 고대하던 시간이 얼마 남지 않았다는 것을 아이도 알고 있다.

아침에 일어나 혼자 인형들을 가지고 놀던 아이가 갑자기 내게 질문을 했다. 선교원에 다니기 전 잠시 다녔던 피아노 학원 생각이 났나 보다.

"할머니 피아노 학원은?"

"할머니 돈 없어서 피아노 학원 못 보내 주는데"

"아쉽다"

"왜? 피아노 학원 가고 싶어?"

"집에 가면 피아노 학원 못 가잖아"

"그렇구나 피아노 학원이 없구나"

"미술학원도 못 가~"

좀 더 멀리 나가면 피아노 학원이나 미술학원

이 있을 텐데 자신의 집 가까이에 피아노 학원이
나 미술학원이 없다는 것을 알고 있다. 집에 가
는 것을 기다리지만 도시 문명의 혜택을 벌써 부
터 아쉬워한다. 아이에게 한글 공부를 더 열심히
하라고 한마디 거들어 본다.

"피아노 학원은 한글 다 떼고 오래"

"한글 못 떼면 못 가?"

"그렇지는 않은데 한글 떼고 가면 더 피아노
배우기가 쉽대"

"에이 심심하잖아"

아직 한글을 다 못 뗀 아이는 아쉬운 마음을
내 비친다. 아이는 피아노를 배우고 싶어 하는
것이 아니었다. 아이는 그저 혼자 노는 것이 심
심할 뿐이다.


가을을 기다린다. 그날이 오면 언제 그런 일이
있었냐는 듯 우리는 각자의 자리에서 계절에 순
응하며 살고 있겠지!

# 28화 엄마 집에서 두 밤 자고 올게요

"시골에 갈 거야?"

"아니 내 집에 갈 거야"

작은할아버지를 따라가는 아이에게 내가 넌지시 물었다. 아이는 절대 시골에 갈 수 없다며 단호하게 '내 집'이라고 대답했다.

자신의 집을 엄마 집이나 엄마 아빠 집이라고 말했는데 집으로 가는 오늘은 '내 집'이라고 말한다. 지난번 아이 엄마가 사준 모자를 아파트 아래로 던져주며 환한 아이 얼굴을 마주한다.

"할머니 고마워"

아이는 모자를 집어 들며 한껏 들뜬 목소리로

상냥한 인사를 보냈다. 행복 가득한 아이의 모습에 나도 덩달아 기분이 좋아졌다.

지난 월요일 아이 엄마에게 주말 동안 딸아이를 데리고 있겠다는 연락을 받았다. 아이가 기다리던 일이라 바로 알려주었다. 아이는 기뻐 어쩔 줄을 몰랐다. 그런데 집에 가는 날짜가 손가락 다섯 개를 다 펼쳐서 기다려야 한다는 것에 짜증을 냈다.

"이 만큼"
세 개의 손가락을 펼치며 제발 그렇다고 해줘요 라는 간절한 눈빛을 내게 보냈다. 나는 다섯 개의 손가락을 다 펼치며 대답해 주었다.
"아니 이 만큼 자야 해"
아이는 집에 가는 기쁨보다 그 시간을 기다리는 것이 힘들었는지 다음 날 아침이 되어서도 시간이 가지 않는다며 울상을 지었다.
"시간이 너무 안 가 바로 주말이 되었으면 좋겠어 엄마 집에 가게"
다음 날 아침에도 그다음 날 아침에도 저녁에도 집에 가는 날을 손꼽아 기다렸다.

"엄마 아빠 집에 두 밤 자고 가? 신난다"

아이에게 기쁜 소식이 찾아왔다. 작은할아버지가 금요일 오후에 시골에 내려가며 아이를 집에 내려주고 가겠다는 것이다. 주말이 되기를 기다리던 아이는 갑자기 하루 더 빨리 엄마 아빠를 만날 수 있다는 소식에 어리둥절하면서도 즐겁기만 하다.

"왜 주말에 안 가?"

"금요일에 할아버지가 너 집에 데려다 준다는데 데리러 오지 말라고 할까? 엄마 아빠가 토요일에 데리러 오면 갈래?"

"아니 금요일에 갈래?"

선교원에서 하원하는 아이의 양손에는 종이 접기가 들려있었다.

"이거 엄마 아빠 선물이야 할머니 것은 없어"

다른 날 같으면 아이는 내게 이렇게 말했다.

"할머니 하나 선물 줄까? 할머니 내가 만들어 줄게!"

작은할아버지가 자신을 늦게 데리러 올 줄 알았다가 아직 한낮인데 벌써 데리러 온 것이 의아

하기도 하고 빨리 집에 갈 수 있다는 것이 너무 좋아서 아이의 얼굴은 웃음꽃이 피었다. 아이는 하룻밤이 아니라 두 밤을 엄마 아빠와 함께 보낼 수 있다는 것이 좋았으리라. 집을 나서기 전 아이가 침대에 누워있는 증조할머니에게 인사를 했다. 자신의 집으로 돌아가는 것이 아니라, 다시 이곳으로 돌아올 것이라는 것을 알려주듯이.

"왕할머니 엄마 집에서 두 밤 자고 올게요"


아이가 좋아하는 것은? 고양이 인형.

아이가 기뻐하는 것은? 엄마 아빠가 아프지 않은 것.

아이의 장래희망은? 의사였다가 간호사였다가.

아이는 곰돌이가 열이 나서 돌보아주어야 한다며 곰돌이 인형을 안고 엄마 아빠 집으로 떠났다. 자신의 얼굴보다 큰 분홍 모자를 쓰고서 말이다.

## 29화 날개가 달린 아이

"할머니 나한테는 날개가 있어!"

아침에 일어난 아이는 날아다니는 꿈이라도 꾼 것처럼 자신에게는 날개가 있다고 말했다

"기분이 좋을 때는 아주 큰 날개가 나오고 기분이 조금 좋으면 작은 날개가 나와 그리고 기분이 안 좋으면 날개가 멈춰!"

"날개가? 그럼 언제 큰 날개가 나오는데?"

"엄마 아빠를 만날 때 아주 큰 날개가 나와"

"좋겠네! 엄마 아빠 곧 만날 수 있으니"

"여기 날개 스위치가 있는데 그 스위치를 누르면 돼"

자신의 가슴을 가리키며 아이는 작은 스위치를 손으로 만들었다. 그리고 날아다닐 듯 춤을 추기 시작했다.

아이 엄마는 수술 후 조금씩 몸이 회복되어가고 있다. 그 회복의 속도가 생각보다 빨라서 아이를 집으로 데리고 갈 날이 멀지 않았다고 알려주었다.

"고모 9월 말이나 되면 데리고 갈 수 있을 것 같아요"

'9월 말이나 되어야 아이가 집에 가겠구나' 생각하고 있었다. 그런데 지난 주초 아이 엄마는 좀 더 빨리 아이를 데리고 가겠다고 알려주었다.

"고모 9월 둘째 주에 데리고 가려고요"

두 주 뒤면 아이를 데리고 가겠다는 것이다. 생각보다 아이와 헤어질 날이 가까워졌다.

아이 부모는 목요일 서울 병원으로 외래를 다녀오며 아이에게 전화했다. 그리고 이번 주 일요일에 데리러 오겠다고 약속했다.

한 달이 두 주로 두 주가 이번 주로 앞당겨진 것이다.

다니던 미술학원에 아이가 이제 자신의 집으로 내려간다는 것을 알려주었다. 미술 선생님과 미술학원 언니들은 아이가 이제 더 이상 미술학원에 올 수 없는 것을 아쉬워했다.

"지우 오늘 와?" 늘 미술학원에 갈 때면 물어보던 또래 아이와 이제 조금 친해졌다며 미술 선생님도 아쉬워했다.

"언니들이 자꾸 나보고 집에 가지 말래"
"그럼 집에 안 갈 거야?"
"아니 언니들이 나 사랑해서 그러는 거야"
다니던 선교원에서도 마찬가지였다. 아이가 집에 돌아가는 것이 좋지만 헤어지는 것이 섭섭하다고 원감 선생님은 아쉬워했다.

그렇게 다가온 금요일이다. 아이 부모는 주일에 데리러 온다는 것을 하루 더 앞당겨 토요일에 데려가겠다고 알려주었다. 이제 한밤만 자면 아이는 정말 집으로 돌아가게 된다. 엄마 아빠를 만날 생각에 행복해하며 날갯짓을 하는 아이의 모습을 보며 덩달아 기분이 좋아지는 아침이다.

그렇게 아이는 선교원 차를 타고 광주에서 마

지막 등원을 했다. 오늘은 키즈카페를 가는 날이라 더 활기차 보였다.

집으로 돌아와 아이의 짐 정리를 하고 있는데, 내일 온다던 아이 부모는 아이의 하원 시간을 물어왔다. 하원 시간에 맞추어 선교원에 들렀다가 바로 집으로 데려가겠다는 것이다. 다시 아이가 집으로 돌아갈 시간이 오늘로 변경되었다.

아이의 짐 정리를 어느 정도 마쳤을 때 아이의 목소리가 들렸다. 엄마 아빠의 손을 잡고 들어온 아이에게는 진짜 날개가 달려있었다. 아이 부모는 6개월 반 동안 이곳에서 생활한 짐을 모두 챙겨 아이와 함께 떠났다. 어디든 데려다줄 엄마와 아빠의 손을 잡은 아이는 가슴의 스위치를 눌러 가장 큰 날개를 폈다. 아이는 세상 가장 행복한 얼굴로 홀연히 날아가 버렸다.

## 날개
## 정겨움

나에게는 날개가 있어요
하나님이 나한테
특별하게 만드신 날개
날개 날개 날개 ~


기분 좋을 땐 날개가 펴지고
짝짝 날개 최고
기분 안 좋을 땐
날개가 안 생겨
멈춰 멈춰


나는야 날개가 생겨
꺅~, 학~
나는야 용이야


끝나기 전에 슬퍼하지 말고
나처럼 춤춰봐
피카추
야~, 카~ 해봐
카~

# 30화 아이가 남긴 자리

아이가 엄마 아빠와 함께 집으로 돌아가니
시끌벅적하던 집안이 빈집 같다.
아이 물건으로 방안 가득하던 것이 텅 비었다.

아이가 있을 때는 시끄럽다 하시던 왕할머니도
아이가 없으니 서운하시다.
잘 돌아갔는지 안부를 묻는다.

아이가 남긴 흔적 하나 없이 정리하려 했지만
남기고 간 머리빗 머리핀.
쓰고 남은 어린이 치약, 칫솔.

들려줬던 동화책
그리고 장난감
핸드폰 사진첩 가득 아이사진 뿐.

잠시 머물다간 미술학원
고사리 손으로
옹말종말 아기자기 그려낸
그림이 사랑스럽다.

있을 땐 조용히 혼자 있고 싶고,
없으면 함께하고 싶은 것이 사람의 심리인가?
"놀아줘, 손잡아줘, 이야기해줘, 무서워!"
쫄랑대던 아이의 목소리가 들려온다.

# 에필로그

한 명의 아이를 키우기 위해서는 몇 명의 도움이 필요할까? 짧은 기간이지만 아이를 돌보며 아이는 혼자서 키울 수 없다는 것을 깨달았다. 누군가의 도움이 필요하다.

조카손녀를 위해 학원비를 내준 안산 작은할아버지와 월곡동 작은할아버지가 있어서 친구들과 어울려 놀고 배우고 할 수 있었다.

보성녹차밭, 곡성 장미축제. 장성 편백나무숲, 지리산 뱀산골, 생태호수공원, 동물원 등 집에서만 지낼 수 밖에 있었던 아이가 작은할아버지 가족들 덕분에 산으로 계곡으로 여행을 할 수 있었다.

증조할머니가 병원에 입원했을 때는 아이의 거처가 난감하기만 했는데 광주 작은할머니 큰고모할머니와 함께 지냈다.

친할아버지와 친할머니집을 방문하던 주말은 아이의 마음에 안식을 주었다.

자신이 사랑받은 아이였다는 걸 기억하며 사랑하며 사랑을 나누어 주는 사람으로 자라기를 바란다.

증조할머니, 고모할머니와 함께 지낸 2023년의 시간이 유아기 가장 즐거운 추억 한 페이지로 기억되기를……

2024년 2월 고모할머니